KB094302

사고력 수학 소마가 개발한 연산학습의 새 기준!!
소마의 **마술같은 원리셈**

소마셈

K8
5·6·7세

수학이 즐거워지는 특별한 수학교실
소마에서 개발한 연산교재 소마셈

소마셈

2002년 대치소마 개원 이후로 끊임없는 교재 연구와 교구의 개발은 소마의 자랑이자 자부심입니다. 교구, 게임, 토론 등의 다양한 활동식 수업으로 스스로 문제해결능력을 키우고, 아이들이 수학에 대한 흥미와 자신감을 가질 수 있도록 차별성 있는 수업을 해 온 소마에서 연산 학습의 새로운 패러다임을 제시합니다.

연산 교육의 현실

연산 교육의 가장 큰 폐해는 '초등 고학년 때 연산이 빠르지 않으면 고생한다.'는 기존 연산 학습지의 왜곡된 마케팅으로 인해 단순 반복을 통한 기계적 연산을 강조하는 것입니다. 하지만, 기계적 반복을 위주로 하는 연산은 개념과 원리가 빠진 연산 학습으로써 아이들이 수학을 싫어하게 만들 뿐 아니라 사고의 확장을 막는 학습방법입니다.

초등수학 교과과정과 연산

초등교육과정에서는 문자와 기호를 사용하지 않고 말로 풀어서 연산의 개념과 원리를 설명하다가 중등교육과정부터 문자와 기호를 사용합니다. 교과서를 살펴보면 모든 연산의 도입에 원리가 잘 설명되어 있습니다. 요즘 현실에서는 연산의 원리를 묻는 서술형 문제도 많이 출제되고 있는데 연산은 연습이 우선이라는 인식이 아직도 지배적입니다.

연산 학습은 어떻게?

연산 교육은 별도로 떼어내어 추상적인 숫자나 기호만 가지고 다뤄서는 절대로 안됩니다. 구체물을 가지고 생각하고 이해한 후, 연산 연습을 하는 것이 필요합니다. 또한, 속도보다 정확성을 위주로 학습하여 실수를 극복할 수 있는 좋은 습관을 갖추는 데에 초점을 맞춰야 합니다.

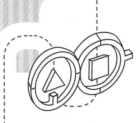 **소마샘** 연산학습 방법

 10이 넘는 한 자리 덧셈 　**구체물을 통한 개념의 이해**

덧셈과 뺄셈의 기본은 수를 세는 데에 있습니다. 8+4는 8에서 1씩 4번을 더 센 것이라는 개념이 중요합니다. 10의 보수를 이용한 받아 올림을 생각하면 8+4는 (8+2)+2지만 연산 공부를 시작할 때에는 덧셈의 기본 개념에 충실한 것이 좋습니다. 이 책은 구체물을 통해 개념을 이해할 수 있도록 구체적인 예를 든 연산 문제로 구성하였습니다.

 가로셈 　**가로셈을 통한 수에 대한 사고력 기르기**

세로셈이 잘못된 방법은 아니지만 연산의 원리는 잊고 받아 올림한 숫자는 어디에 적어야 하는지만을 기억하여 마치 공식처럼 풀게 합니다. 기계적으로 반복하는 연습은 생각없이 연산을 하게 만듭니다. 가로셈을 통해 원리를 생각하고 수를 쪼개고 붙이는 등의 과정에서 키워질 수 있는 수에 대한 사고력도 매우 중요합니다.

 곱셈구구 　**곱셈도 개념 이해를 바탕으로**

곱셈구구는 암기에만 초점을 맞추면 부작용이 큽니다. 곱셈은 덧셈을 압축한 것이라는 원리를 이해하며 구구단을 외움으로써 연산을 빨리 할 수 있다는 것을 알게 해야 합니다. 곱셈구구를 외우는 것도 중요하지만 곱셈의 의미를 정확하게 아는 것이 더 중요합니다. 4×3을 할 줄 아는 학생이 두 자리 곱하기 한 자리는 안 배워서 45×3을 못 한다고 말하는 일은 없도록 해야 합니다.

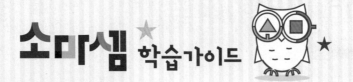

K단계 (5, 6, 7세) · 연산을 시작하는 단계

뛰어세기, 거꾸로 뛰어세기를 통해 수의 연속한 성질(linearity)을 이해하고 덧셈, 뺄셈을 공부합니다. 각 권의 호흡은 짧지만 일관성 있는 접근으로 자연스럽게 나선형식 반복학습의 효과가 있도록 하였습니다.

학습대상 : 연산을 시작하는 아이와 한 자리 수 덧셈을 구체물(손가락 등)을 이용하여 해결하는 아이

학습목표 : 수와 연산의 튼튼한 기초 만들기

P단계 (7세, 1학년) · 받아올림이 있는 덧셈, 뺄셈을 배울 준비를 하는 단계

5, 6, 9 뛰어세기를 공부하면서 10을 이용한 더하기, 빼기의 편리함을 알도록 한 후, 가르기와 모으기의 집중학습으로 보수 익히기, 10의 보수를 이용한 덧셈, 뺄셈의 원리를 공부합니다.

학습대상 : 받아올림이 없는 한 자리 수의 덧셈을 할 줄 아는 학생

학습목표 : 받아올림이 있는 연산의 토대 만들기

A단계 (1학년) · 초등학교 1학년 교과과정 연산

받아올림이 있는 한 자리 수의 덧셈, 뺄셈은 연산 전체에 매우 중요한 단계입니다. 원리를 정확하게 알고 A1에서 A4까지 총 4권에서 한 자리 수의 연산을 다양한 과정으로 연습하도록 하였습니다.

학습대상 : 초등학교 1학년 수학교과과정을 공부하는 학생

학습목표 : 10의 보수를 이용한 받아올림이 있는 덧셈, 뺄셈

B단계 (2학년) · 초등학교 2학년 교과과정 연산

두 자리, 세 자리 수의 연산을 다룬 후 곱셈, 나눗셈을 다루는 과정에서 곱셈구구의 암기를 확인하기보다는 곱셈구구를 외우는데 도움이 되고, 곱셈, 나눗셈의 원리를 확장하여 사고할 수 있도록 하는데 초점을 맞추었습니다.

학습대상 : 초등학교 2학년 수학교과과정을 공부하는 학생

학습목표 : 덧셈, 뺄셈의 완성 / 곱셈, 나눗셈의 원리를 정확하게 알고 개념 확장

C단계 (3학년) · 초등학교 3, 4학년 교과과정 연산

B단계까지의 소마셈은 다양한 문제를 통해서 학생들이 즐겁게 연산을 공부하고 원리를 정확하게 알게 하는데 초점을 맞추었다면, C단계는 3학년 과정의 큰 수의 연산과 4학년 과정의 혼합 계산, 괄호를 사용한 식 등, 필수 연산의 연습을 충실히 할 수 있도록 하였습니다.

학습대상 : 초등학교 3, 4학년 수학교과과정을 공부하는 학생

학습목표 : 큰 수의 곱셈과 나눗셈, 혼합 계산

D단계 (4학년) · 초등학교 4, 5학년 교과과정 연산

분모가 같은 분수의 덧셈과 뺄셈, 소수의 덧셈과 뺄셈을 공부하여 초등 4학년 과정 연산을 마무리하고 초등 5학년 연산과정에서 가장 중요한 약수와 배수, 분모가 다른 분수의 덧셈과 뺄셈을 충분히 익힐 수 있도록 하였습니다.

학습대상 : 초등학교 4, 5학년 수학교과과정을 공부하는 학생

학습목표 : 분모가 같은 분수의 덧셈과 뺄셈, 소수의 덧셈과 뺄셈, 분모가 다른 분수의 덧셈과 뺄셈

소마셈 단계별 학습내용

K단계 추천연령 : 5, 6, 7세

단계	K1	K2	K3	K4
권별 주제	10까지의 더하기와 빼기 1	20까지의 더하기와 빼기 1	10까지의 더하기와 빼기 2	20까지의 더하기와 빼기 2
단계	K5	K6	K7	K8
권별 주제	10까지의 더하기와 빼기 3	20까지의 더하기와 빼기 3	20까지의 더하기와 빼기 4	7까지의 가르기와 모으기

P단계 추천연령 : 7세, 1학년

단계	P1	P2	P3	P4
권별 주제	30까지의 더하기와 빼기 5	30까지의 더하기와 빼기 6	30까지의 더하기와 빼기 10	30까지의 더하기와 빼기 9
단계	P5	P6	P7	P8
권별 주제	9까지의 가르기와 모으기	10 가르기와 모으기	10을 이용한 더하기	10을 이용한 빼기

A단계 추천연령 : 1학년

단계	A1	A2	A3	A4
권별 주제	덧셈구구	뺄셈구구	세 수의 덧셈과 뺄셈	□가 있는 덧셈과 뺄셈
단계	A5	A6	A7	A8
권별 주제	(두 자리 수)+(한 자리 수)	(두 자리 수)−(한 자리 수)	두 자리 수의 덧셈과 뺄셈	□가 있는 두 자리 수의 덧셈과 뺄셈

B단계 추천연령 : 2학년

단계	B1	B2	B3	B4
권별 주제	(두 자리 수)+(두 자리 수)	(두 자리 수)−(두 자리 수)	세 자리 수의 덧셈과 뺄셈	덧셈과 뺄셈의 활용
단계	B5	B6	B7	B8
권별 주제	곱셈	곱셈구구	나눗셈	곱셈과 나눗셈의 활용

C단계 추천연령 : 3학년

단계	C1	C2	C3	C4
권별 주제	두 자리 수의 곱셈	두 자리 수의 곱셈과 활용	두 자리 수의 나눗셈	세 자리 수의 나눗셈과 활용
단계	C5	C6	C7	C8
권별 주제	큰 수의 곱셈	큰 수의 나눗셈	혼합 계산	혼합 계산의 활용

D단계 추천연령 : 4학년

단계	D1	D2	D3	D4
권별 주제	분모가 같은 분수의 덧셈과 뺄셈(1)	분모가 같은 분수의 덧셈과 뺄셈(2)	소수의 덧셈과 뺄셈	약수와 배수
단계	D5	D6		
권별 주제	분모가 다른 분수의 덧셈과 뺄셈(1)	분모가 다른 분수의 덧셈과 뺄셈(2)		

구성과 특징

① 연산활동

연산은 생활에서 자주 접하게 되므로 지면 연습과 더불어 구체물을 이용하여 활동하면 연산을 이해하는 데 도움이 됩니다. 가정에서 엄마가 아이와 대화하면서 재미있고 자연스럽게 연산활동을 합니다.

 활동하는 방법 또는 활동에 도움이 되는 내용을 담았습니다.

② 원리 & 연습

구체물 또는 그림을 통해 연산의 원리를 쉽게 이해하고, 원리의 이해를 바탕으로 연산이 익숙해지도록 연습합니다.

3

사고력 연산

반복적인 연산에서 나아가 배운 원리를 활용하여 확장된 문제를 해결합니다. 어려운 문제를 싣기보다 다양한 생각을 할 수 있는 내용으로 구성하였습니다.

4

Drill (보충학습)

주차별 주제에 대한 연습이 더 필요한 경우 보충학습을 활용합니다.

손가락 모으고 가르기

오른손과 왼손에 펼친 손가락을 모아 보고, 펼친 손가락과 접힌 손가락을 세어 5 가르기를 해 보세요.

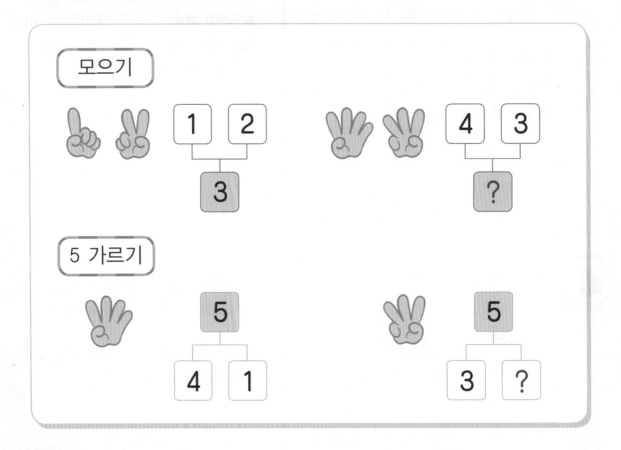

가르기와 모으기는 덧셈과 뺄셈의 전단계로 나중에 8+5=8+(2+3)=(8+2)+3=13과 같이 받아올림이 있는 덧셈의 기초가 되고, 수 감각과 수의 상호 관계를 살펴볼 수 있습니다.

소마셈 K8 - 1주차

5까지의
가르기와 모으기

개수 세어 5까지의 가르기

 여러 가지 방법으로 주머니 안의 구슬을 두 묶음으로 묶어 보세요.

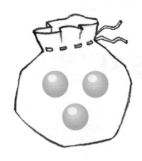

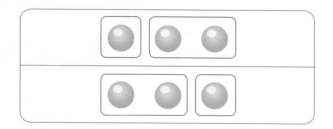

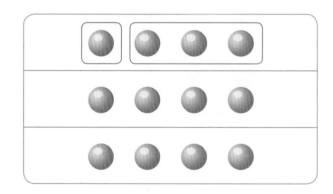

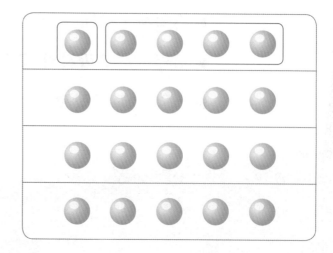

구슬을 갈라 빈 곳에 알맞은 개수만큼 ◯를 그려 보세요.

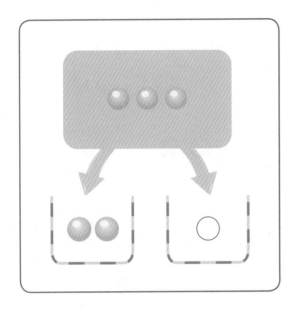

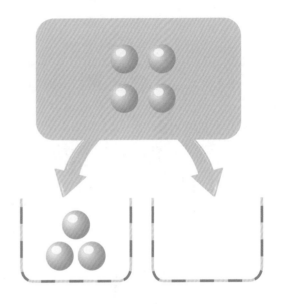

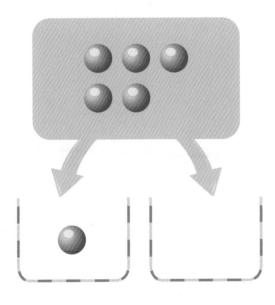

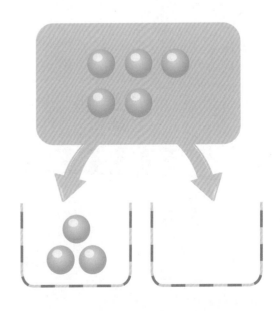

🌱 그림을 보고 빈 곳에 ○를 그리고, ◯ 안에 알맞은 수를 써넣으세요.

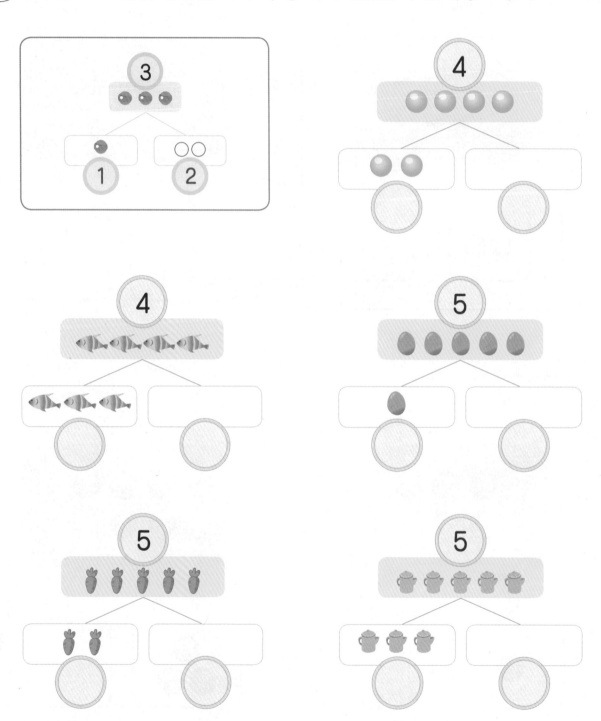

그림을 보고 빈 곳에 ◯를 그리고, ◯ 안에 알맞은 수를 써넣으세요.

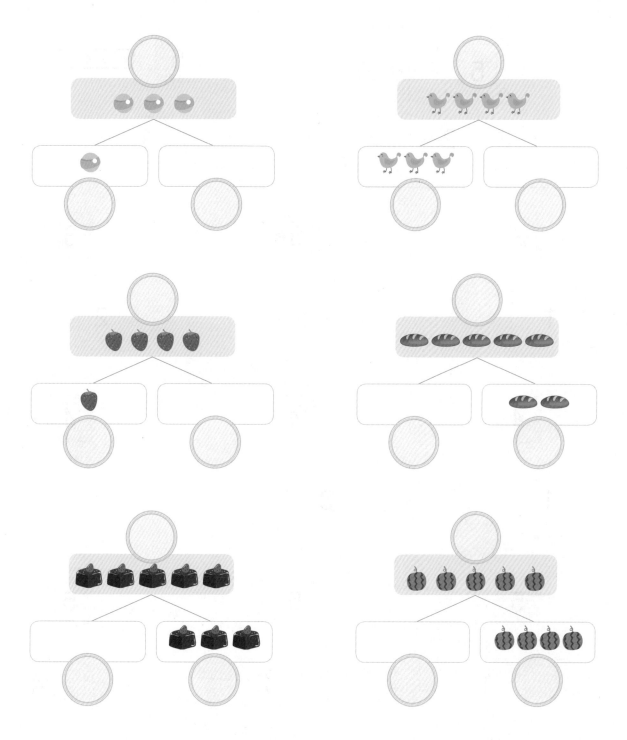

5까지의 가르기

🌱 두 수로 갈랐습니다. □ 안에 알맞은 수를 써넣으세요.

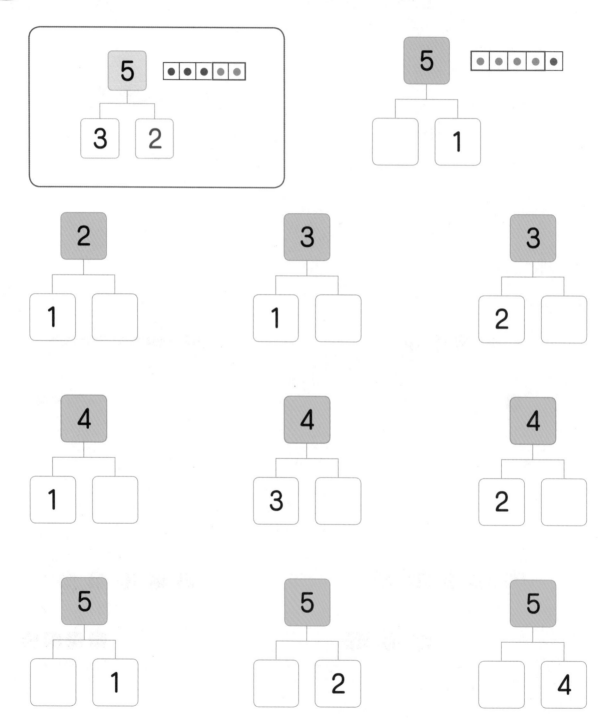

두 수로 갈랐습니다. □ 안에 알맞은 수를 써넣으세요.

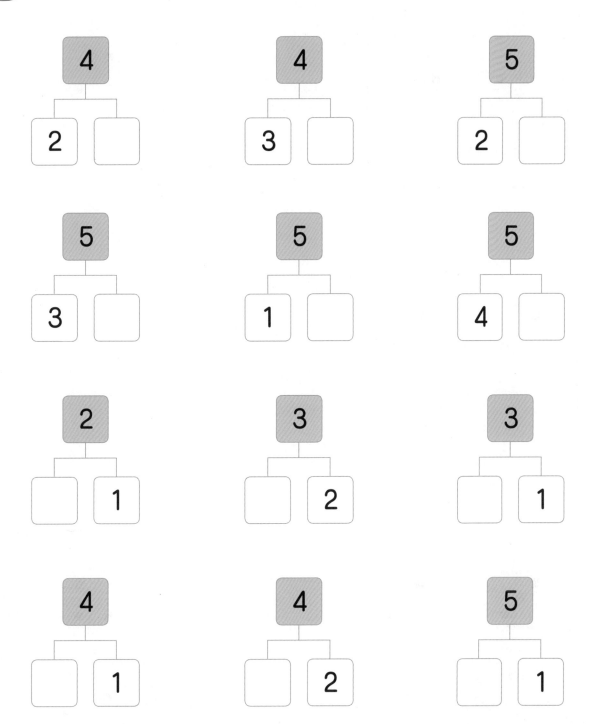

 안에 주사위의 점을 모은 수만큼 ◯를 그려 보세요.

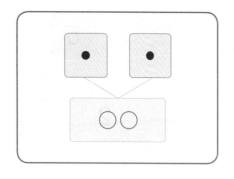

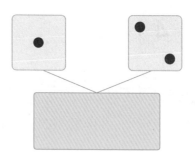

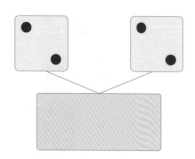

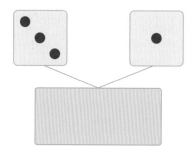

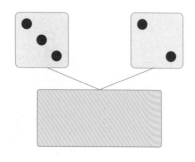

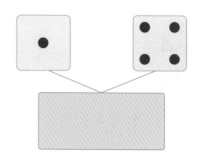

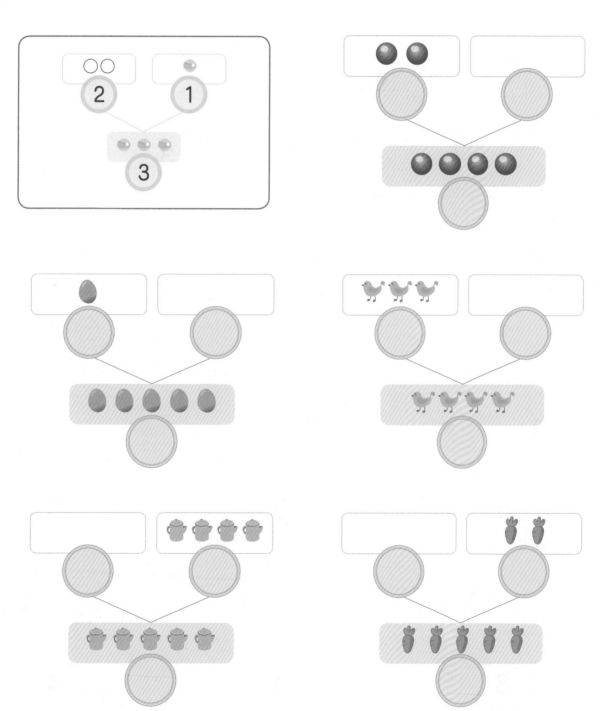

🌱 그림을 보고 빈 곳에 ◯를 그리고, ◯ 안에 알맞은 수를 써넣으세요.

5까지의 모으기

🌱 두 수를 모았습니다. □ 안에 알맞은 수를 써넣으세요.

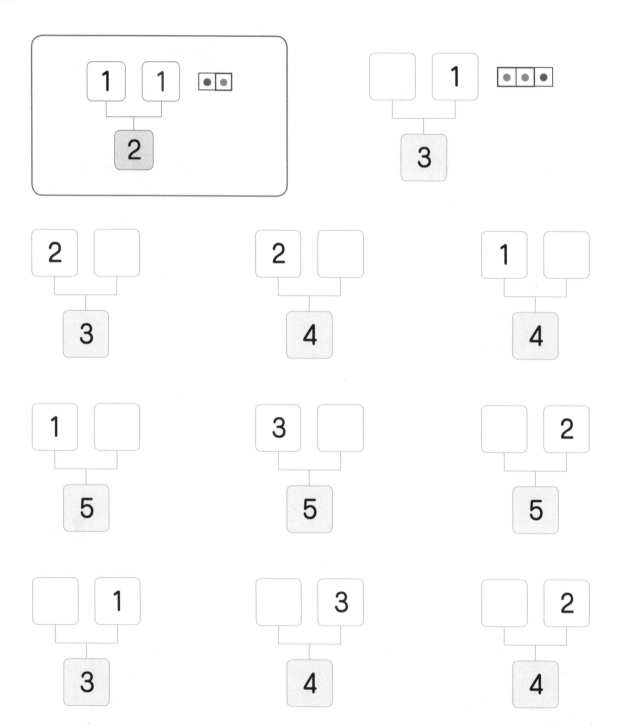

🌱 두 수를 모았습니다. □ 안에 알맞은 수를 써넣으세요.

문장제

 이야기를 읽고, 아빠가 잡은 물고기는 몇 마리인지 구해 보세요.

진수는 주말에 아빠와 낚시를 하러 바다에 갔습니다. 아빠가 먼저 물고기를 잡았고 진수도 따라서 낚시를 했습니다.
한참이 지나 아빠와 진수가 잡은 물고기를 세어 보니 4마리였습니다. "내가 오늘 3마리를 잡았으니까 아빠보다 더 많이 잡았네요?" 하며 진수는 기분 좋게 집으로 돌아왔습니다.
아빠가 잡은 물고기는 몇 마리일까요?

 마리

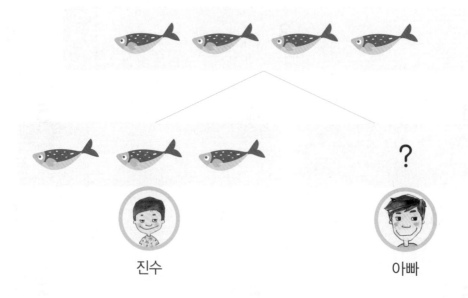

진수   아빠

다음을 읽고, 물음에 답하세요.

책상에 카드 4장이 있습니다. 그중 몇 장을 숨겼더니 1장이 남았습니다.
숨긴 카드는 몇 장일까요?

장

성진이와 수미가 선생님께 칭찬스티커를 받았습니다. 성진이는 2개, 수미
는 3개 받았다면 모두 몇 개를 받았을까요?

개

 다음을 읽고, 물음에 답하세요.

사과 4개를 두 접시에 나누어 담습니다. 한 접시에 2개를 담으면 다른 접시
에는 몇 개를 담아야 할까요?

 개

형과 동생이 찐빵 3개를 나누어 먹으려고 합니다. 형이 2개를 먹으면 동생은
몇 개를 먹을까요?

 개

강아지 2마리가 있습니다. 며칠 뒤 새끼를 3마리 더 낳았다면 강아지는 모두
몇 마리일까요?

 마리

다음을 읽고, 물음에 답하세요.

은미에게 색종이 3장이 있습니다. 그중 1장을 동생에게 주었습니다. 은미에게 남은 색종이는 몇 장일까요?

장

어린이 4명이 있습니다. 그중 치마를 입은 어린이가 2명일 때, 치마를 입지 않은 어린이는 몇 명일까요?

명

지수는 어항에 물고기 3마리를 키웁니다. 아빠가 생일날 1마리를 더 사오셨습니다. 어항에 물고기는 모두 몇 마리일까요?

마리

다음을 읽고, 물음에 답하세요.

흰색 바둑돌과 검은색 바둑돌이 모두 5개 있습니다. 흰색 바둑돌이 1개라면 검은색 바둑돌은 몇 개일까요?

 개

5명의 어린이 중 2명은 바나나를 좋아하고, 나머지는 포도를 좋아합니다. 포도를 좋아하는 어린이는 몇 명일까요?

 명

토끼 3마리와 다람쥐 2마리가 있습니다. 토끼와 다람쥐는 모두 몇 마리일 까요?

 마리

소마셈 K8 - 2주차

6과 7 가르기

개수 세어 6 가르기

여러 가지 방법으로 구슬 6개를 두 묶음으로 묶어 보세요.

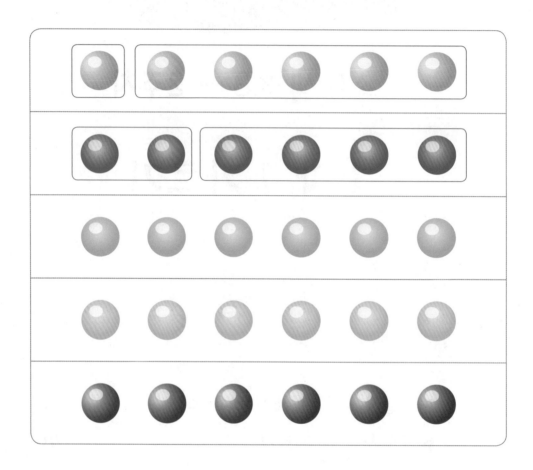

구슬을 갈라 빈 곳에 알맞은 개수만큼 ◯를 그려 보세요.

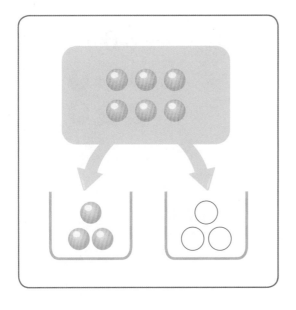

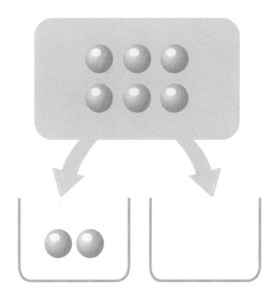

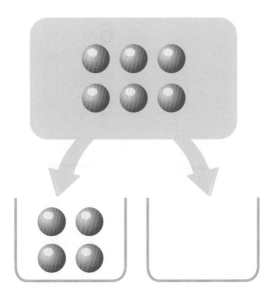

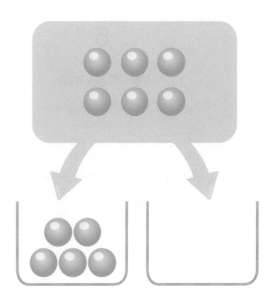

🌱 그림을 보고 빈 곳에 ◯를 그리고, ◯ 안에 알맞은 수를 써넣으세요.

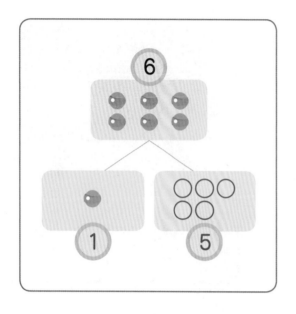

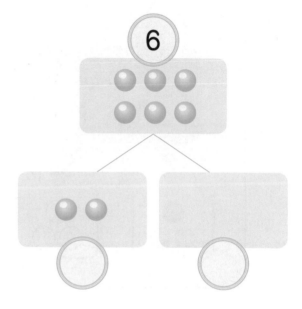

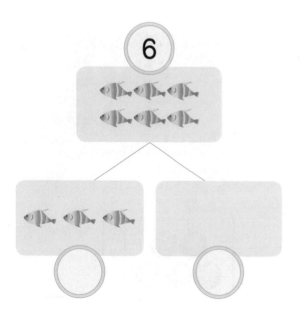

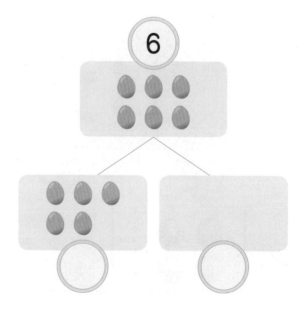

그림을 보고 빈 곳에 ◯를 그리고, ◯ 안에 알맞은 수를 써넣으세요.

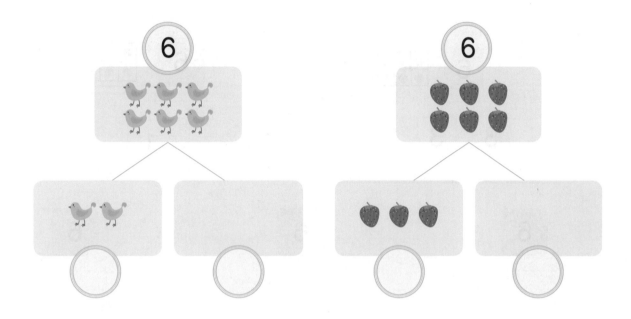

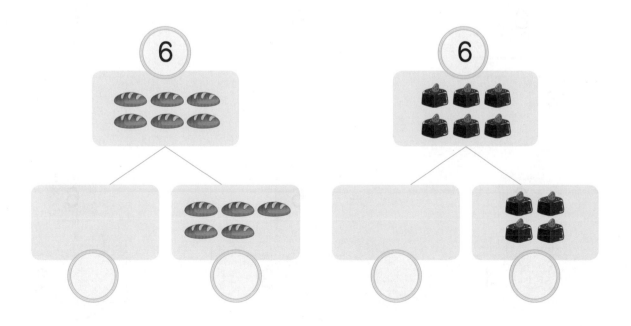

6 가르기

🌱 6을 두 수로 갈랐습니다. ☐ 안에 알맞은 수를 써넣으세요.

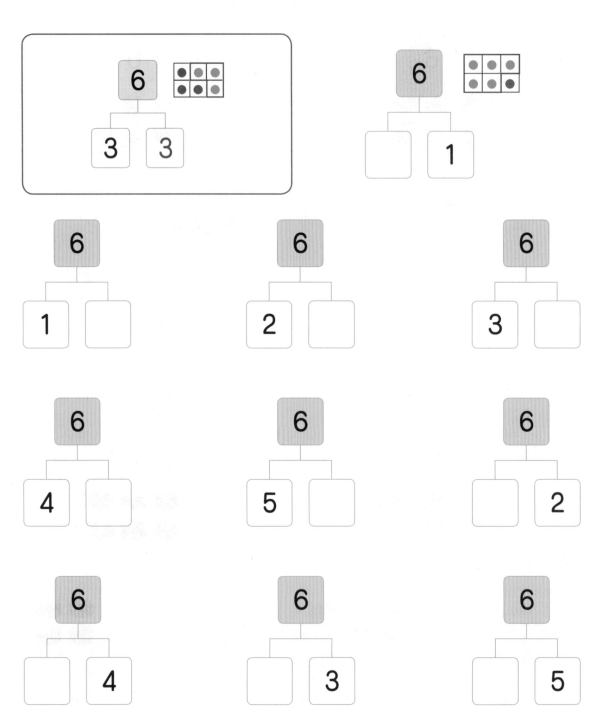

🌱 6을 두 수로 갈랐습니다. □ 안에 알맞은 수를 써넣으세요.

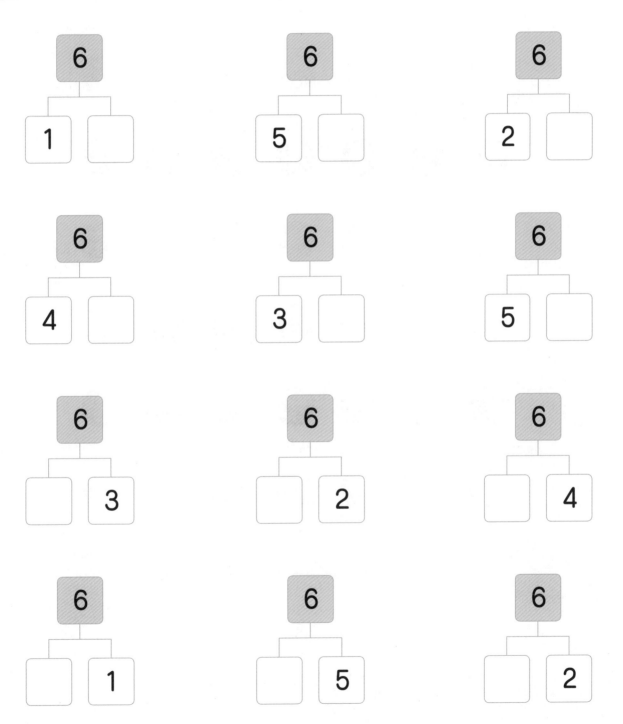

개수 세어 7 가르기

여러 가지 방법으로 구슬 7개를 두 묶음으로 묶어 보세요.

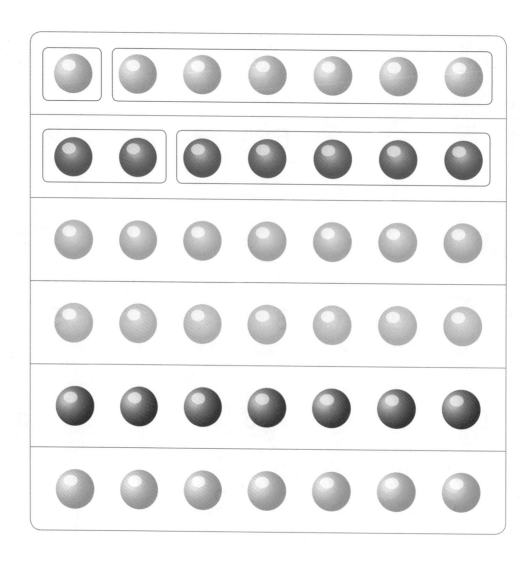

구슬을 갈라 빈 곳에 알맞은 개수만큼 ○를 그려 보세요.

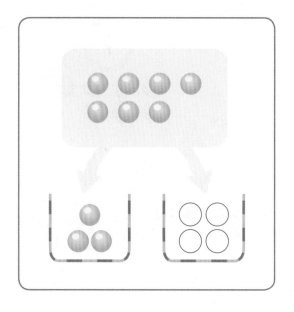

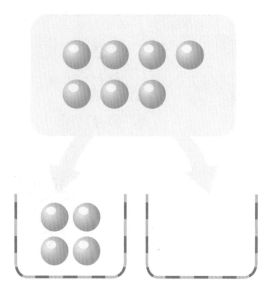

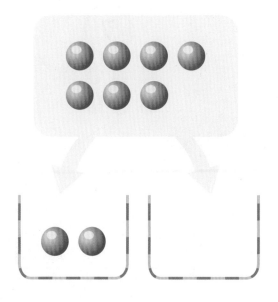

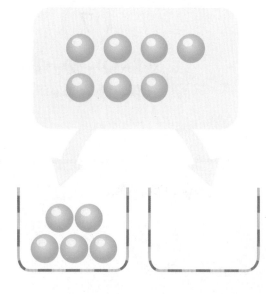

그림을 보고 빈 곳에 ○를 그리고, 🔵 안에 알맞은 수를 써넣으세요.

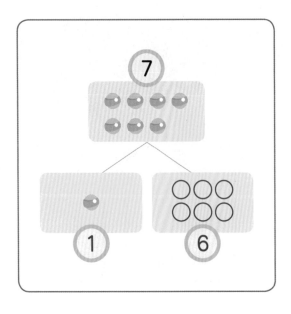

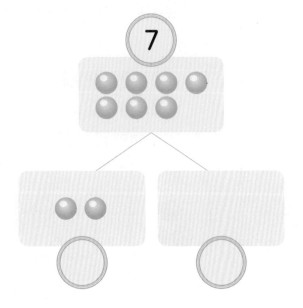

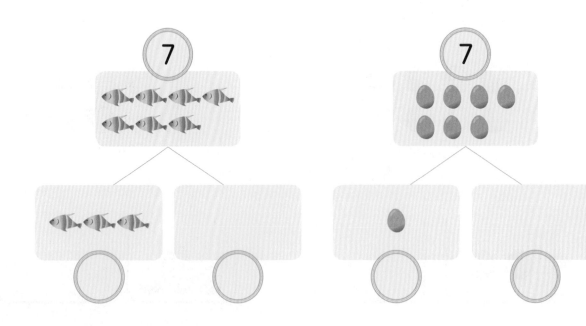

그림을 보고 빈 곳에 ◯를 그리고, ◯ 안에 알맞은 수를 써넣으세요.

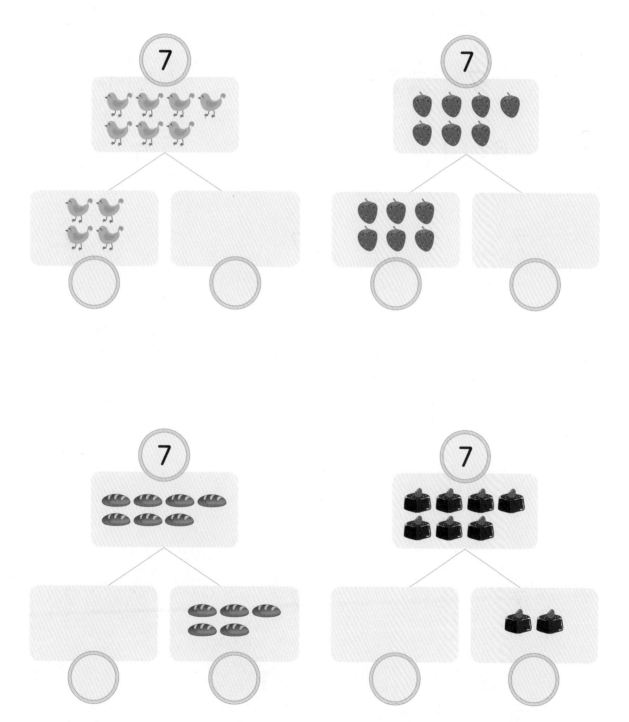

7 가르기

🌱 7을 두 수로 갈랐습니다. □ 안에 알맞은 수를 써넣으세요.

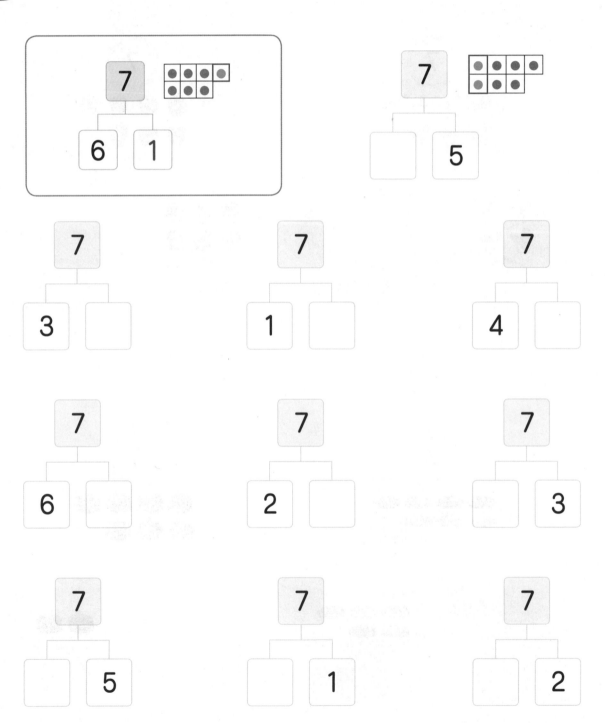

🌱 7을 두 수로 갈랐습니다. □ 안에 알맞은 수를 써넣으세요.

5 일 차   문장제

 이야기를 읽고, 수지에게 남은 강아지는 몇 마리인지 구해 보세요.

수지 아버지께서 강아지 6마리를 데리고 왔습니다. 소식을 듣고 친구 정수가 부러워하며 구경을 왔습니다.

수지는 강아지 6마리를 모두 키우고 싶었지만 어머니께서 "강아지 6마리는 혼자 키우기 힘드니까 3마리는 정수가 데려가 키우면 어떨까?" 라고 말씀하셨습니다.

수지는 기쁜 마음으로 정수에게 강아지 3마리를 주었습니다. 수지에게 남은 강아지는 몇 마리일까요?

마리

정수   수지

 다음을 읽고, 물음에 답하세요.

전깃줄에 새 7마리가 있습니다. 조금 있다가 새 2마리가 날아갔습니다. 몇 마리가 남았을까요?

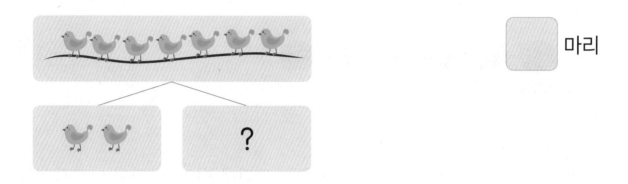

마리

산에 가서 알밤 6개를 주웠습니다. 그중 2개는 벌레가 나와서 버렸습니다. 남아 있는 밤은 몇 개일까요?

개

 다음을 읽고, 물음에 답하세요.

수정이와 민수가 귤 6개를 나누어 먹으려고 합니다. 수정이가 3개를 먹었다면 민수는 몇 개를 먹었을까요?

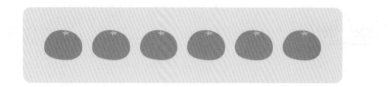

 개

어린이 7명이 소풍을 가기로 했습니다. 그런데 어린이 1명이 아파서 소풍을 가지 못했습니다. 소풍을 간 어린이는 몇 명일까요?

 명

형과 동생이 연필 7자루를 나누어 가집니다. 형이 5자루를 가지면 동생은 몇 자루를 가질까요?

 자루

다음을 읽고, 물음에 답하세요.

구슬 6개를 주머니 두 개에 나누어 담으려고 합니다. 한 주머니에 4개를 담았다면 다른 주머니에는 몇 개를 담았을까요?

개

풍선 7개를 현주와 민주가 나누어 가집니다. 현주가 3개를 가지면 민주는 몇 개를 가지게 될까요?

개

어린이 7명이 있습니다. 그중 2명은 모자를 쓰고 있고, 나머지는 모자를 쓰고 있지 않습니다. 모자를 쓰고 있지 않은 어린이는 몇 명일까요?

명

 다음을 읽고, 물음에 답하세요.

양초에 촛불 6개가 켜져 있습니다. 갑자기 바람이 불어 촛불 2개가 꺼졌습니다. 촛불이 켜져 있는 양초는 몇 개일까요?

 개

민주가 달걀 7개를 사가지고 왔습니다. 집에 와 보니 달걀 4개가 깨져 있었습니다. 깨지지 않은 달걀은 몇 개일까요?

 개

초콜릿 7개를 형과 동생이 나누어 먹으려고 합니다. 동생이 6개를 먹으면 형은 몇 개를 먹을까요?

 개

소마셈 K8 - 3주차

6과 7 모으기

개수 세어 6 모으기

 두 주머니의 구슬을 모아 6개가 되도록 빈 주머니에 ○를 그려 보세요.

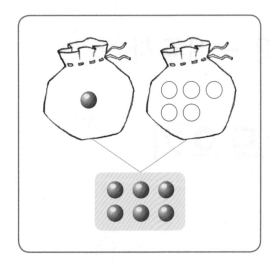

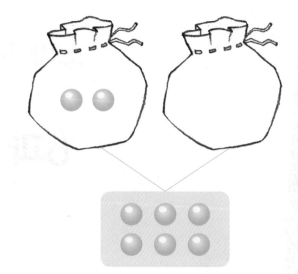

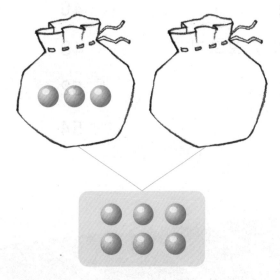

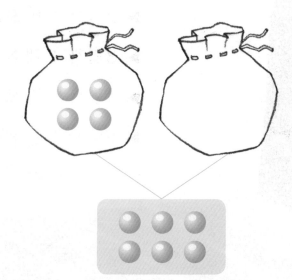

두 주머니의 구슬을 모아 6개가 되도록 빈 주머니에 ◯를 그려 보세요.

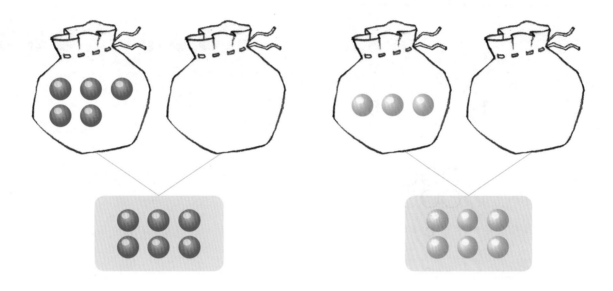

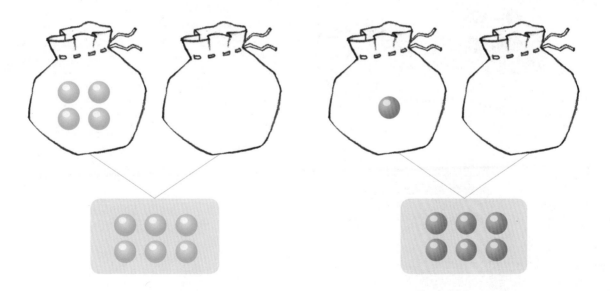

🌱 그림을 보고 빈 곳에 ◯를 그리고, ◯ 안에 알맞은 수를 써넣으세요.

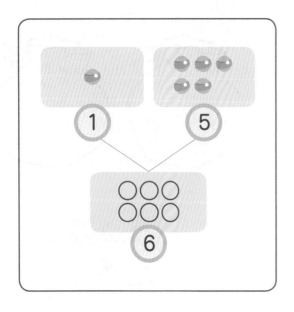

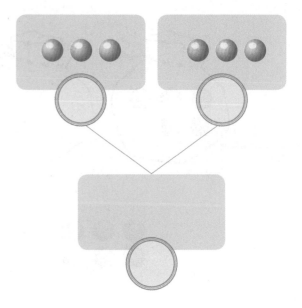

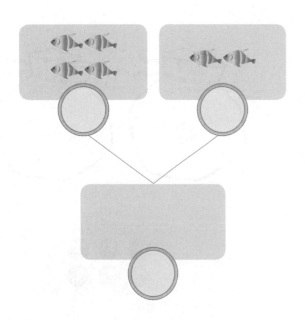

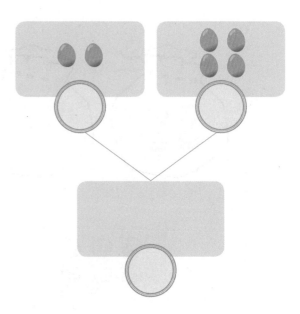

그림을 보고 빈 곳에 ◯를 그리고, ◯ 안에 알맞은 수를 써넣으세요.

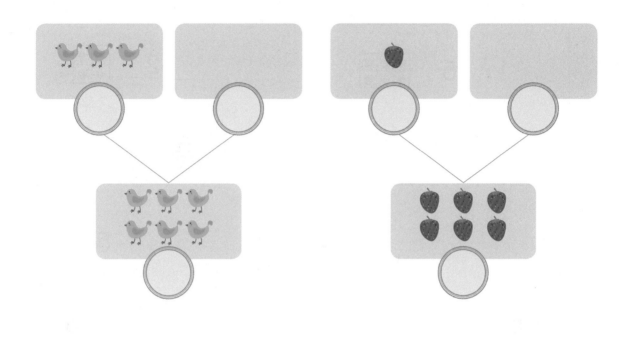

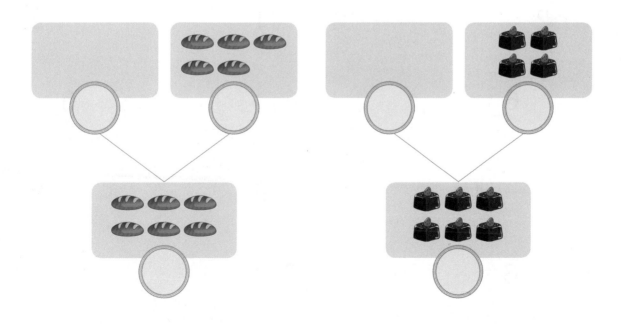

6 모으기

🌱 두 수를 모았습니다. □ 안에 알맞은 수를 써넣으세요.

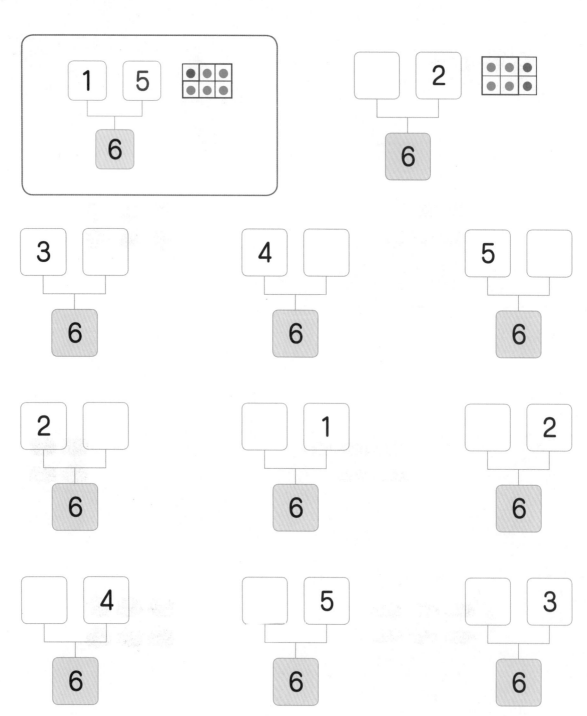

🌱 두 수를 모았습니다. □ 안에 알맞은 수를 써넣으세요.

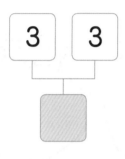

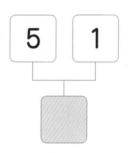

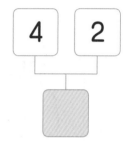

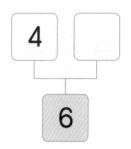

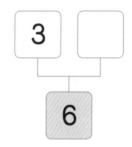

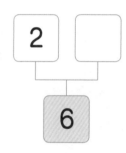

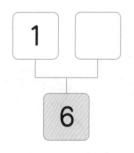

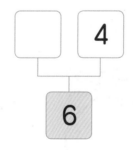

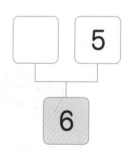

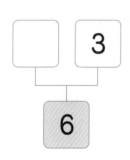

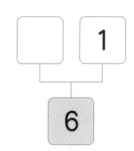

개수 세어 7 모으기

🌱 두 주머니의 구슬을 모아 7개가 되도록 빈 주머니에 ○를 그려 보세요.

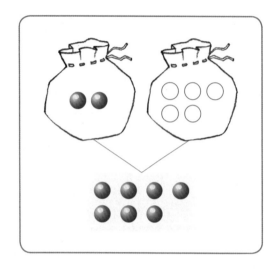

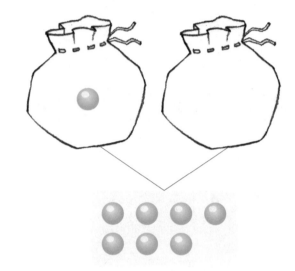

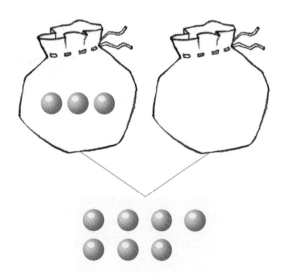

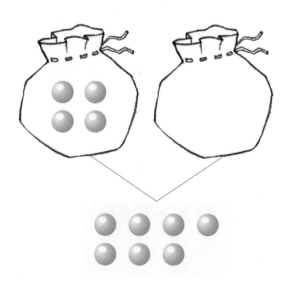

🌱 두 주머니의 구슬을 모아 7개가 되도록 빈 주머니에 ◯를 그려 보세요.

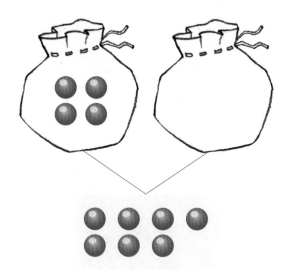

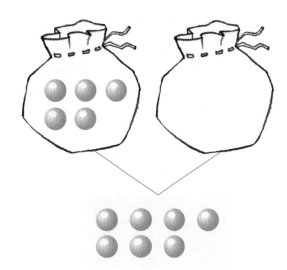

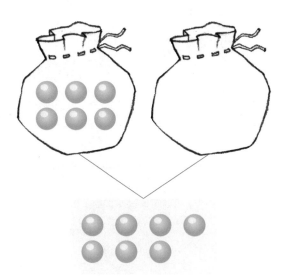

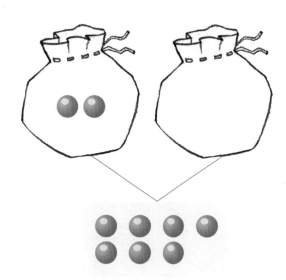

🌱 그림을 보고 빈 곳에 ◯를 그리고, ◯ 안에 알맞은 수를 써넣으세요.

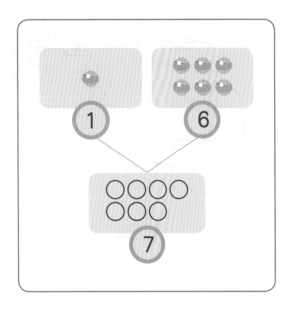

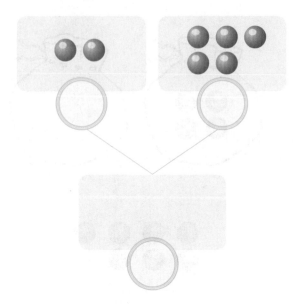

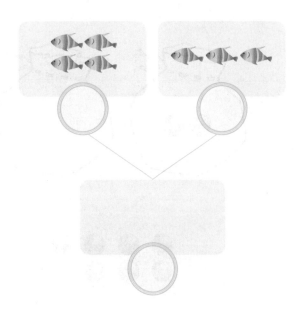

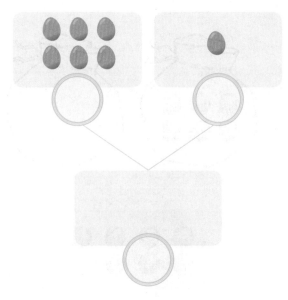

🌱 그림을 보고 빈 곳에 ◯를 그리고, ◯ 안에 알맞은 수를 써넣으세요.

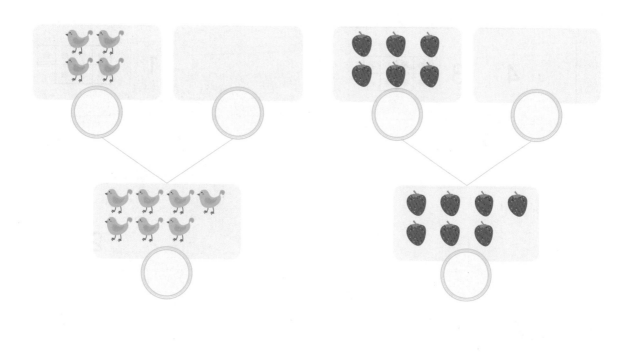

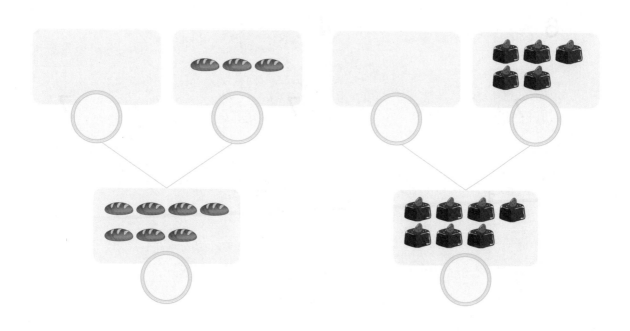

7 모으기

🌱 두 수를 모았습니다. □ 안에 알맞은 수를 써넣으세요.

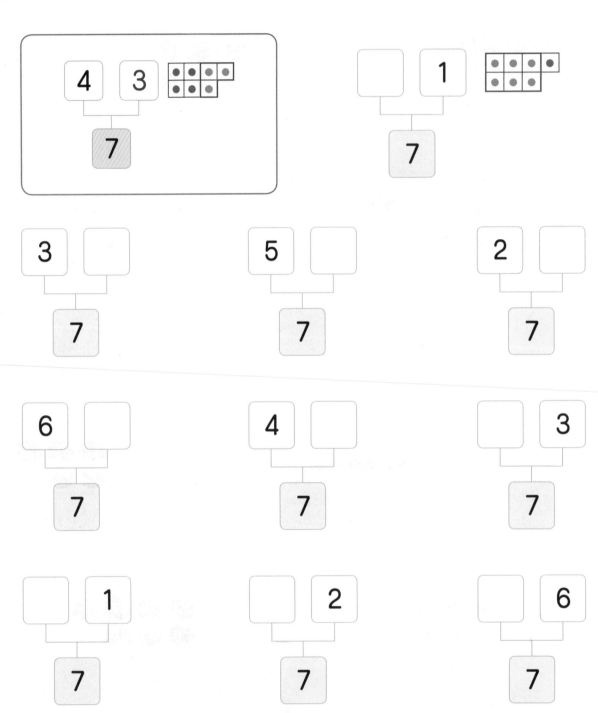

🌱 두 수를 모았습니다. □ 안에 알맞은 수를 써넣으세요.

| 2 | 5 | | 3 | 4 | | 6 | 1 |

| 5 | | | 6 | | | 4 | |
| 7 | | | 7 | | | 7 | |

| 1 | | | | 4 | | | 5 |
| 7 | | | 7 | | | 7 | |

| | 2 | | | 1 | | | 3 |
| 7 | | | 7 | | | 7 | |

문장제

 이야기를 읽고, 놀이공원에 간 친구는 모두 몇 명인지 구해 보세요.

오늘은 친구들과 놀이공원에 가기로 한 날입니다.

약속 시간이 되자 아파트 앞에서 만나기로 한 친구들이 하나 둘씩 모였습니다.

놀이공원에는 많은 사람들이 있었습니다. 이때, 효민이가

"놀이공원에 사람들이 너무 많은데 혼자 길을 잃어버리면 어쩌지?" 라고 말하자 지수가 "우리는 남자 3명, 여자 3명이니까 두 명씩 짝꿍이 되어 함께 다니자. 그러면 서로 잃어버리지 않을 거야." 라고 말했습니다.

놀이공원에 간 친구들은 모두 몇 명일까요?

명

?

다음을 읽고, 물음에 답하세요.

교실에 선생님 1명과 어린이 6명이 있습니다. 교실에 있는 사람은 모두 몇 명일까요?

명

병만이는 엄마에게서 연필 5자루, 아빠에게서 지우개 2개를 받았습니다. 병만이가 받은 연필과 지우개는 모두 몇 개일까요?

개

 다음을 읽고, 물음에 답하세요.

바구니에 곰 인형 3개와 로봇 4개가 있습니다. 바구니에 들어 있는 장난감은 모두 몇 개일까요?

    개

동물원에 사자 4마리와 코끼리 2마리가 있습니다. 동물은 모두 몇 마리일까요?

 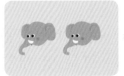  마리

상자에 야구공 5개, 농구공 2개가 있습니다. 공은 모두 몇 개일까요?

 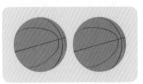   개

 다음을 읽고, 물음에 답하세요.

수민이는 어제 동화책 5쪽을 읽고, 오늘 1쪽을 더 읽었습니다. 수민이는 동화책을 모두 몇 쪽 읽었을까요?

 쪽

파란색 구슬 3개와 빨간색 구슬 3개가 있습니다. 구슬은 모두 몇 개일까요?

 개

어제 닭이 달걀 4개를 낳았습니다. 오늘 3개를 더 낳았다면 달걀은 모두 몇 개일까요?

 개

 다음을 읽고, 물음에 답하세요.

옷장에 치마 4개, 바지 2개가 있습니다. 옷장에 있는 옷은 모두 몇 개일까요?

 개

버스에 남자 6명과 여자 1명이 있습니다. 버스에 타고 있는 사람은 모두 몇 명일까요?

 명

꽃병에 장미 3송이와 튤립 3송이가 있습니다. 꽃병에 있는 꽃은 모두 몇 송이일까요?

 송이

소마셈 K8 - 4주차

7까지의
가르기와 모으기

7까지의 가르기 (1)

🌱 수를 갈랐습니다. ☐ 안에 알맞은 수를 써넣으세요.

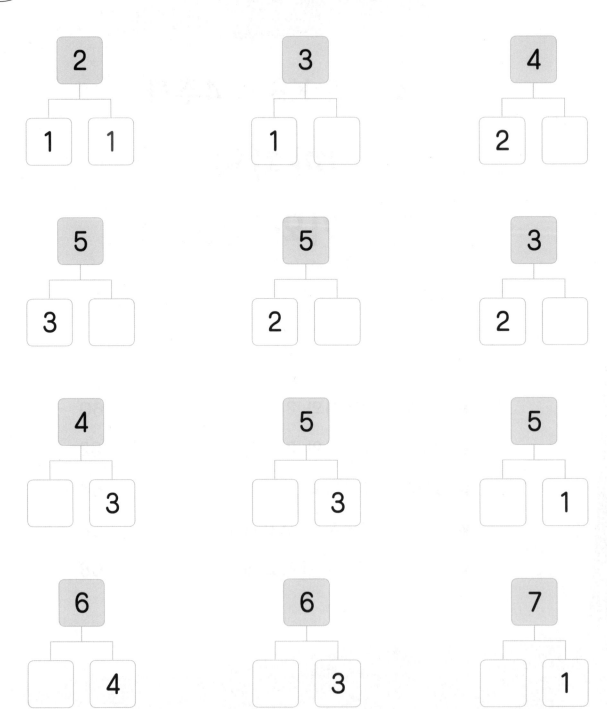

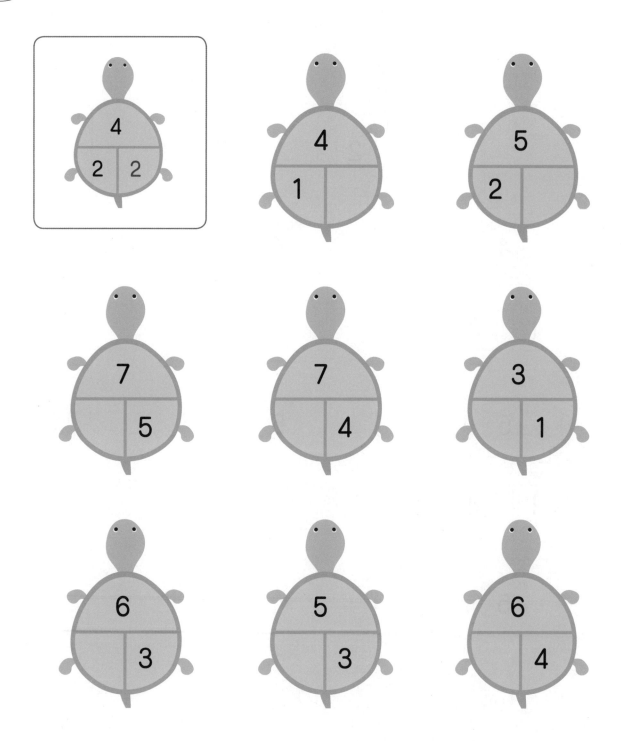

수를 갈랐습니다. 빈칸에 알맞은 수를 써넣으세요.

7까지의 가르기 (2)

🌱 여러 가지 방법으로 4와 5를 두 수로 갈라 보세요.

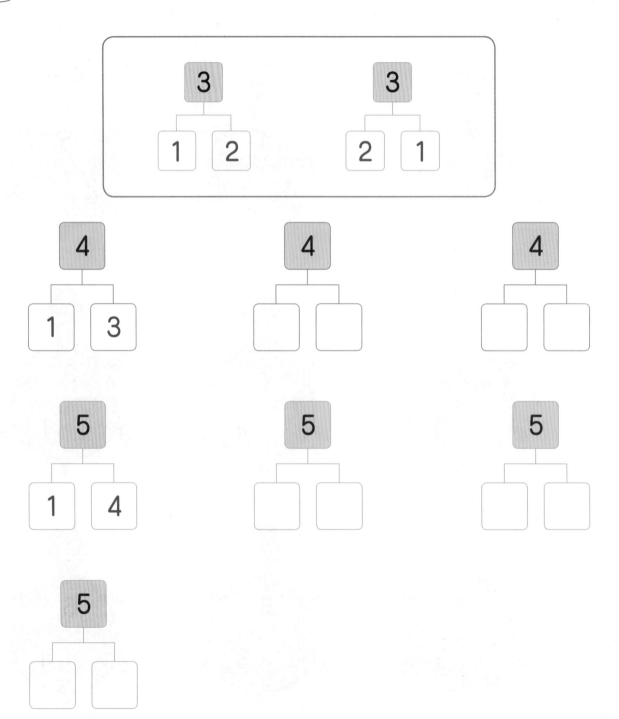

🌱 여러 가지 방법으로 6과 7을 두 수로 갈라 보세요.

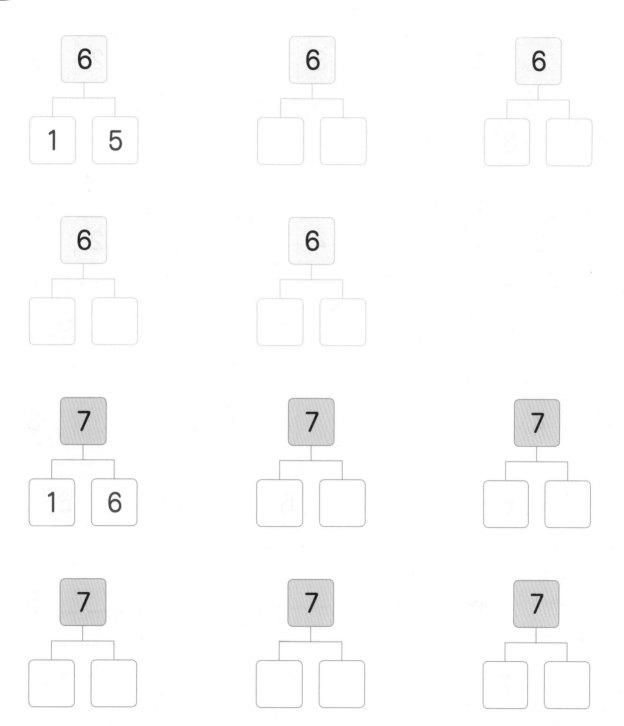

7까지의 모으기 (1)

🌱 두 수를 모았습니다. □ 안에 알맞은 수를 써넣으세요.

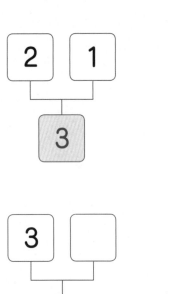

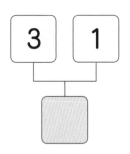

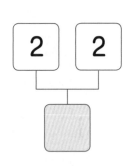

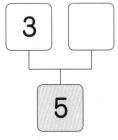

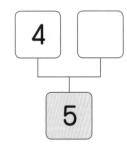

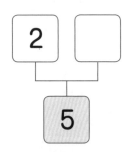

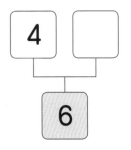

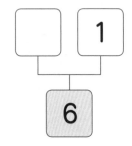

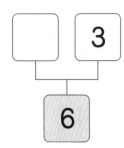

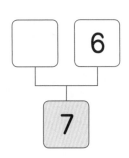

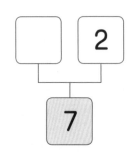

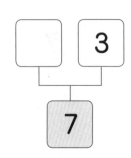

🌱 구슬 안의 수를 모아 상자의 수가 되도록 빈칸에 알맞은 수를 써넣으세요.

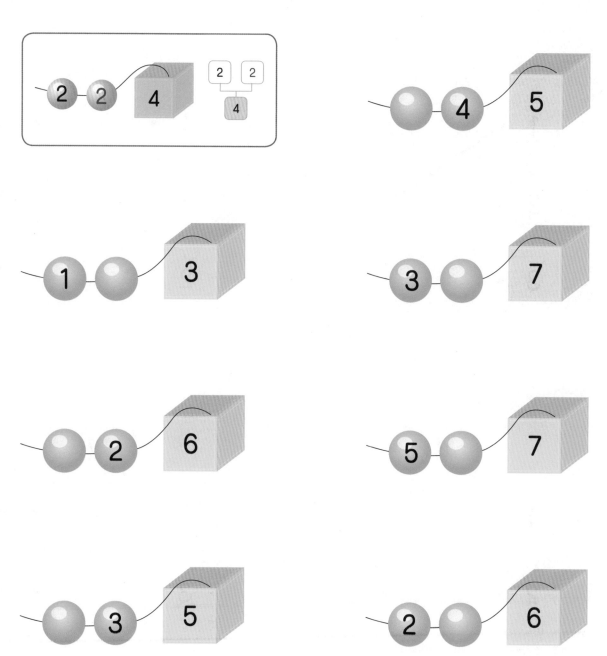

7까지의 모으기 (2)

🌱 모아서 ☐ 안의 수가 되는 두 수를 선으로 이어 보세요.

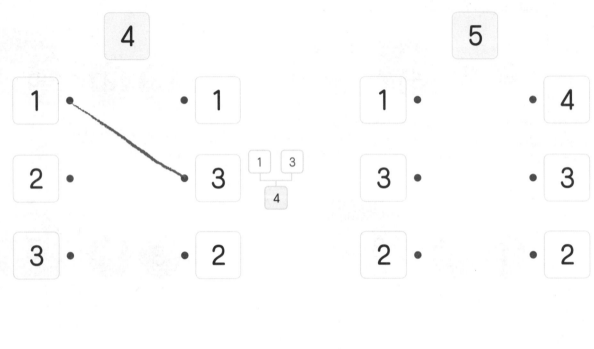

4

1 •———• 3   [1] [3] → [4]

1 •   • 1

2 •   • 3

3 •   • 2

5

1 •   • 4

3 •   • 3

2 •   • 2

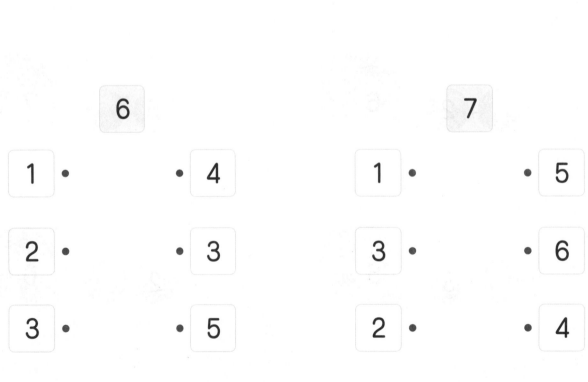

6

1 •   • 4

2 •   • 3

3 •   • 5

7

1 •   • 5

3 •   • 6

2 •   • 4

모아서 🍉 안의 수가 되는 두 수를 찾아 선으로 이어 보세요.

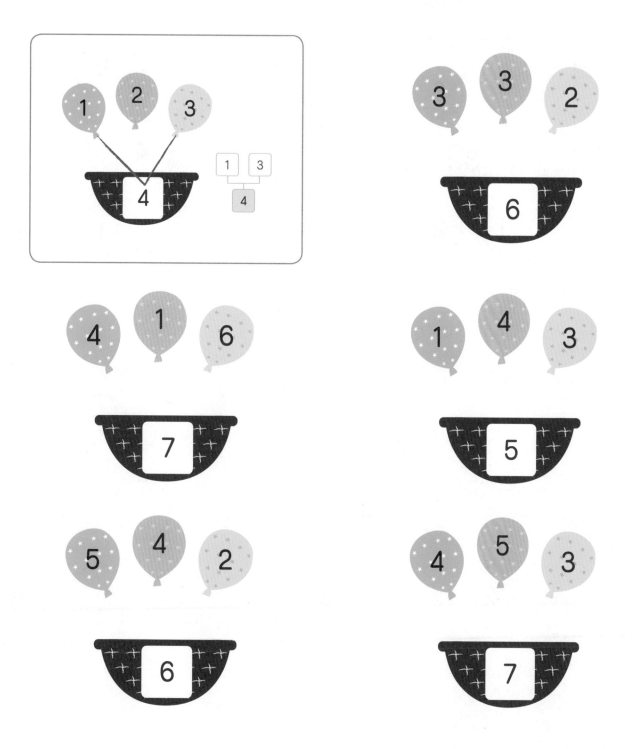

5일차 두 번 가르고 모으기

🌱 수를 두 번 갈랐습니다. 빈칸에 알맞은 수를 써넣으세요.

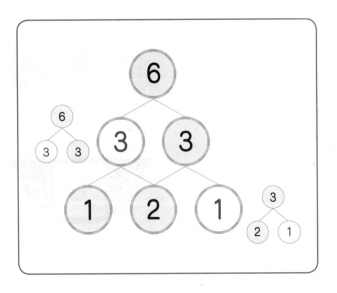

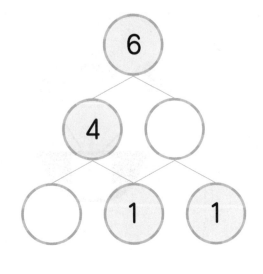

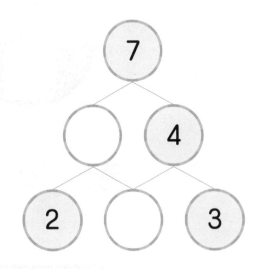

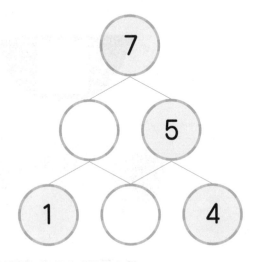

🌱 수를 두 번 모았습니다. 빈칸에 알맞은 수를 써넣으세요.

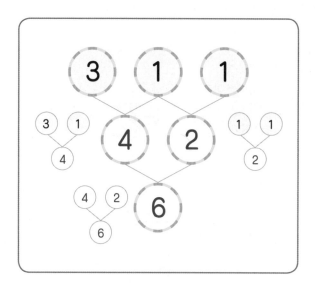

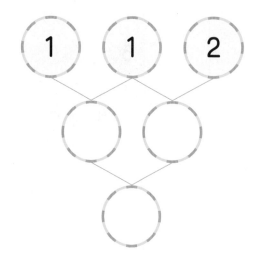

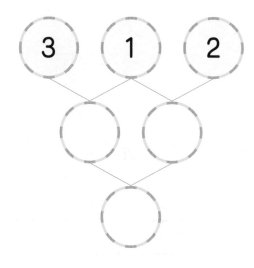

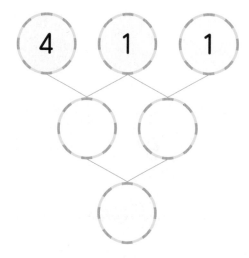

🌱 수를 가르고 모았습니다. □ 안에 알맞은 수를 써넣으세요.

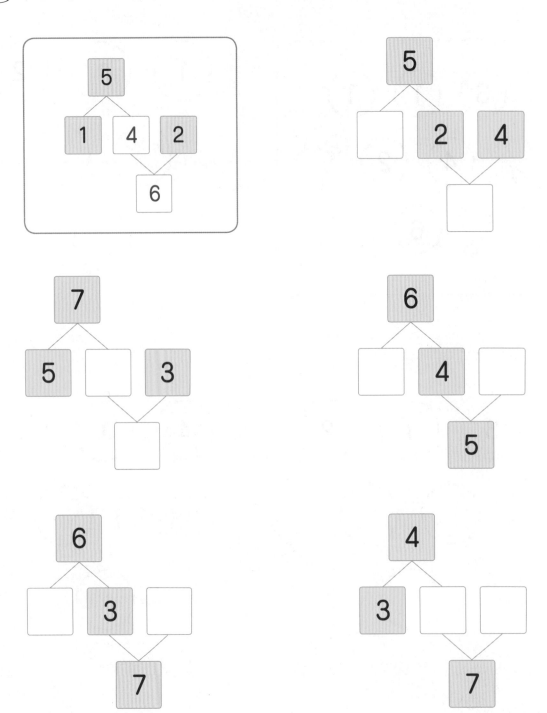

보충학습

Drill

5까지의 가르기와 모으기

수를 갈랐습니다. □ 안에 알맞은 수를 써넣으세요.

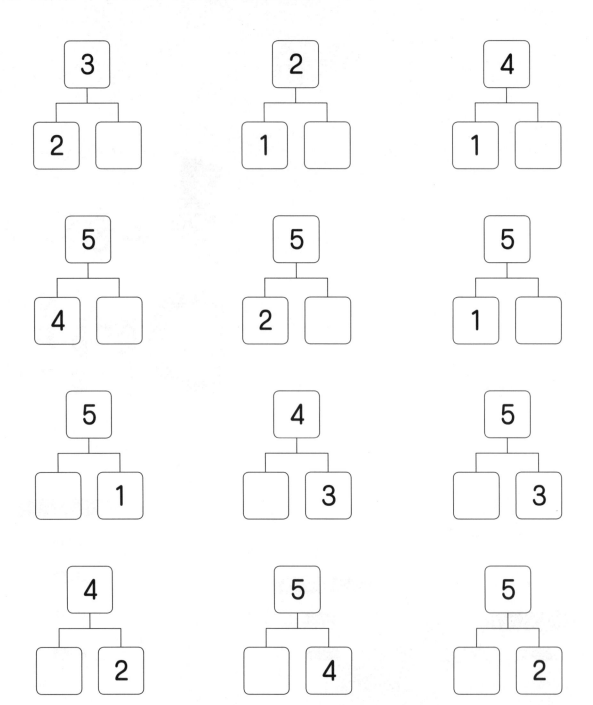

수를 모았습니다. □ 안에 알맞은 수를 써넣으세요.

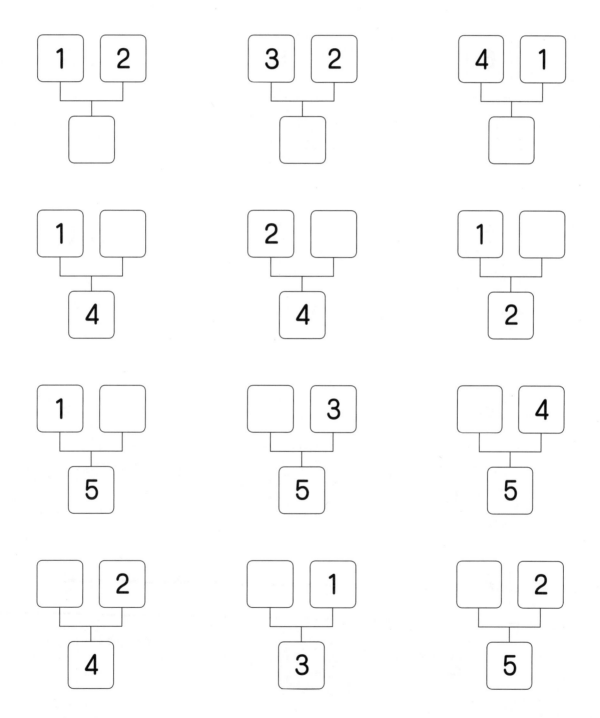

수를 갈랐습니다. □ 안에 알맞은 수를 써넣으세요.

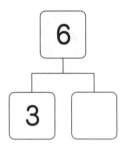
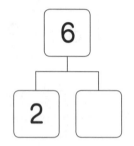
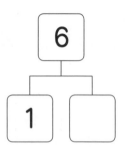

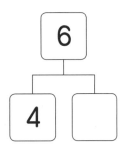
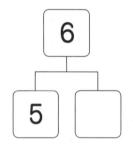
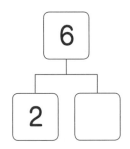

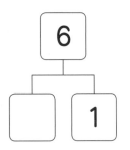
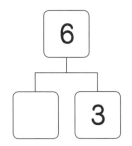
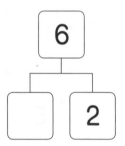

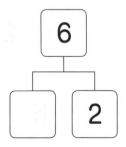
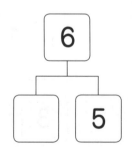
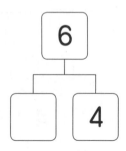

수를 갈랐습니다. □ 안에 알맞은 수를 써넣으세요.

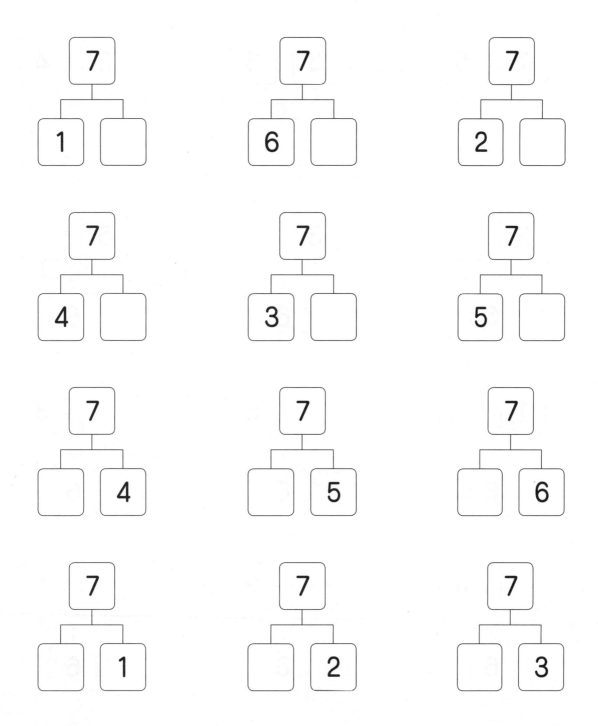

두 수를 모았습니다. □ 안에 알맞은 수를 써넣으세요.

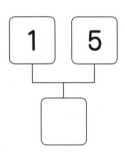

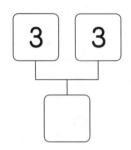

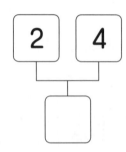

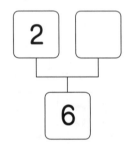

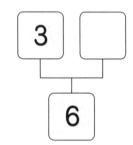

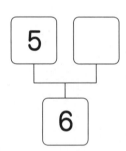

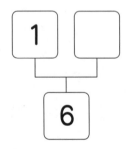

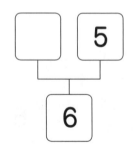

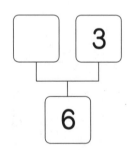

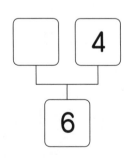

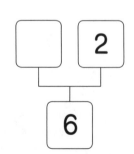

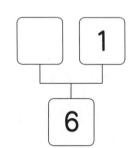

두 수를 모았습니다. □ 안에 알맞은 수를 써넣으세요.

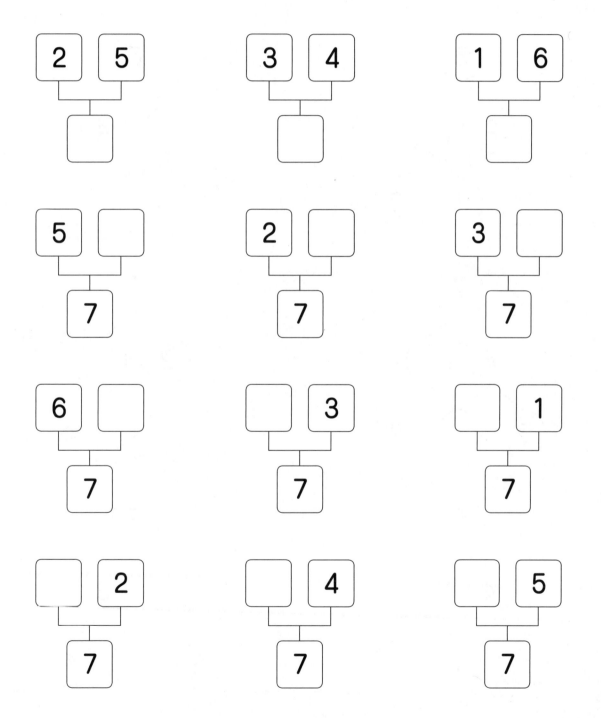

7까지의
가르기와 모으기

수를 두 번 갈랐습니다. ○ 안에 알맞은 수를 써넣으세요.

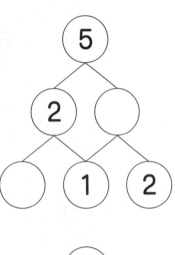

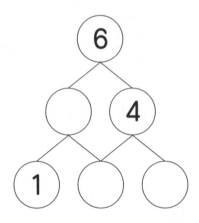

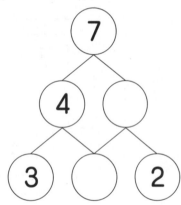

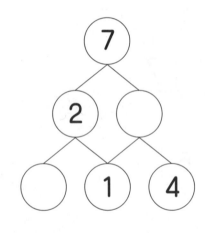

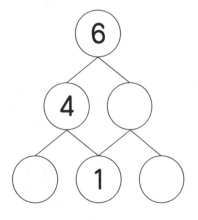

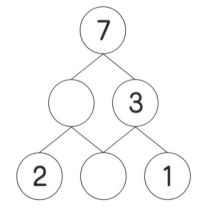

수를 두 번 모았습니다. ○ 안에 알맞은 수를 써넣으세요.

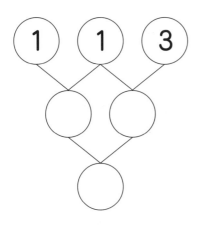

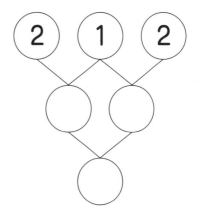

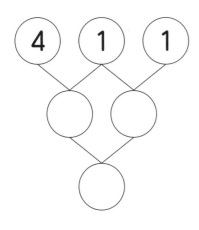

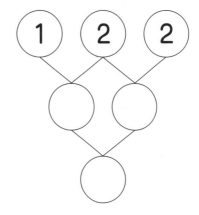

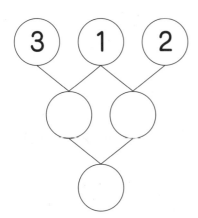

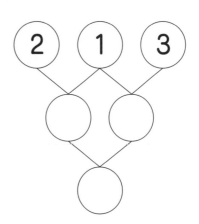

Note

소마의 마술같은 원리셈

정답

1일차 개수 세어 5까지의 가르기

🌱 여러 가지 방법으로 주머니 안의 구슬을 두 묶음으로 묶어 보세요.

🌱 구슬을 갈라 빈 곳에 알맞은 개수만큼 ○를 그려 보세요.

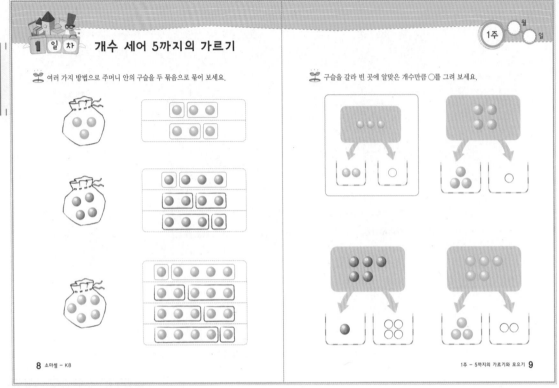

신나는 연산!

🌱 그림을 보고 빈 곳에 ○를 그리고, ○ 안에 알맞은 수를 써넣으세요.

🌱 그림을 보고 빈 곳에 ○를 그리고, ○ 안에 알맞은 수를 써넣으세요.

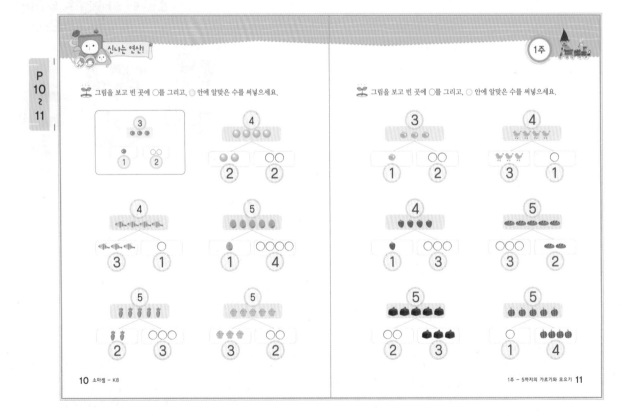

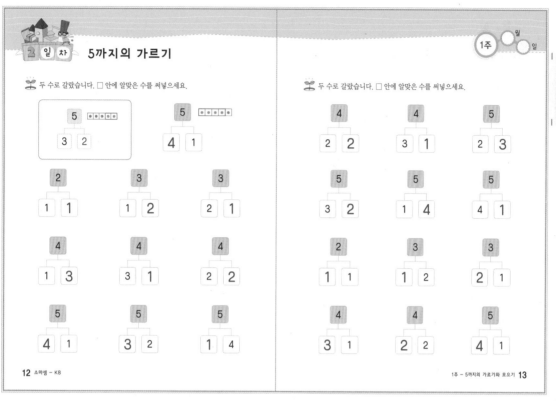

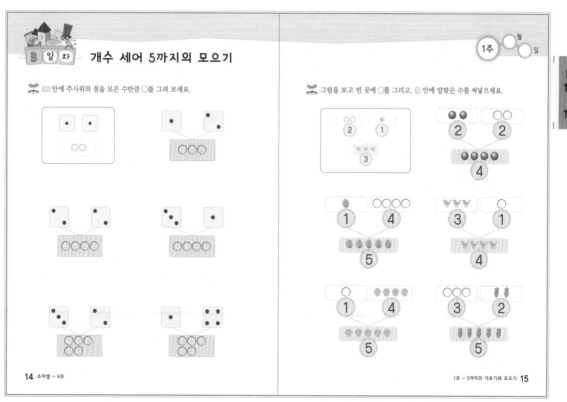

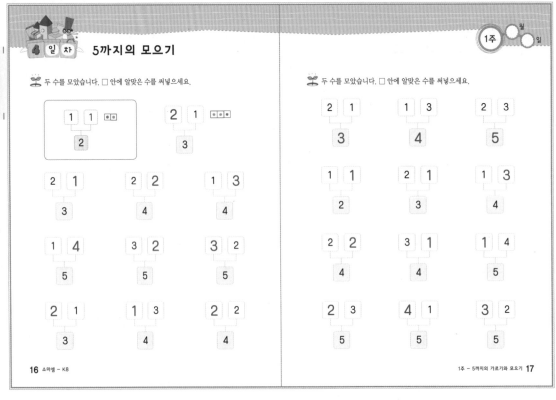

4일차 5까지의 모으기

🌱 두 수를 모았습니다. □ 안에 알맞은 수를 써넣으세요.

🌱 두 수를 모았습니다. □ 안에 알맞은 수를 써넣으세요.

1 1 → □□
2

2 1 → □□□
3

2 1
3

2 2
4

1 3
4

1 4
5

3 2
5

3 2
5

2 1
3

1 3
4

2 2
4

2 1
3

1 3
4

2 3
5

1 1
2

2 1
3

1 3
4

2 2
4

3 1
4

1 4
5

2 3
5

4 1
5

3 2
5

16 소마셈 - K8

1주 – 5까지의 가로기와 모으기 17

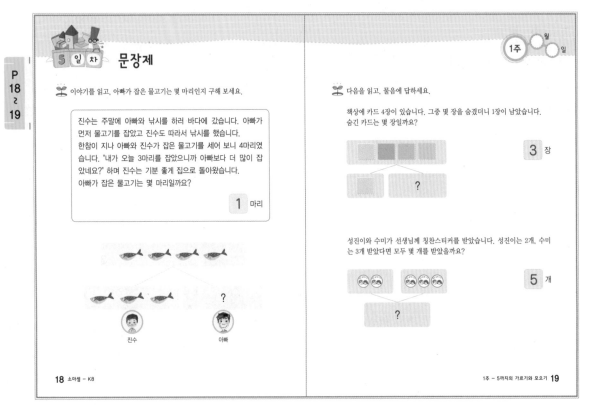

5일차 문장제

🌱 이야기를 읽고, 아빠가 잡은 물고기는 몇 마리인지 구해 보세요.

진수는 주말에 아빠와 낚시를 하러 바다에 갔습니다. 아빠가
먼저 물고기를 잡았고 진수도 따라서 낚시를 했습니다.
한참이 지나 아빠와 진수가 잡은 물고기를 세어 보니 4마리였
습니다. "내가 오늘 3마리를 잡았으니까 아빠보다 더 많이 잡
았네요?" 하며 진수는 기분 좋게 집으로 돌아왔습니다.
아빠가 잡은 물고기는 몇 마리일까요?

1 마리

진수   아빠

🌱 다음을 읽고, 물음에 답하세요.

책상에 카드 4장이 있습니다. 그중 몇 장을 숨겼더니 1장이 남았습니다.
숨긴 카드는 몇 장일까요?

3 장

성진이와 수미가 선생님께 칭찬스티커를 받았습니다. 성진이는 2개, 수미
는 3개 받았다면 모두 몇 개를 받았을까요?

5 개

18 소마셈 - K8

1주 – 5까지의 가로기와 모으기 19

다음을 읽고, 물음에 답하세요.

사과 4개를 두 접시에 나누어 담습니다. 한 접시에 2개를 담으면 다른 접시에는 몇 개를 담아야 할까요?

    2 개

형과 동생이 찐빵 3개를 나누어 먹으려고 합니다. 형이 2개를 먹으면 동생은 몇 개를 먹을까요?

    1 개

강아지 2마리가 있습니다. 며칠 뒤 새끼를 3마리 더 낳았다면 강아지는 모두 몇 마리일까요?

    5 마리

20 소마셈 - K8

다음을 읽고, 물음에 답하세요.

은미에게 색종이 3장이 있습니다. 그중 1장을 동생에게 주었습니다. 은미에게 남은 색종이는 몇 장일까요?

    2 장

어린이 4명이 있습니다. 그중 치마를 입은 어린이가 2명일 때, 치마를 입지 않은 어린이는 몇 명일까요?

    2 명

지수는 어항에 물고기 3마리를 키웁니다. 아빠가 생일날 1마리를 더 사오셨습니다. 어항에 물고기는 모두 몇 마리일까요?

    4 마리

1주 – 5까지의 가르기와 모으기 **21**

다음을 읽고, 물음에 답하세요.

흰색 바둑돌과 검은색 바둑돌이 모두 5개 있습니다. 흰색 바둑돌이 1개라면 검은색 바둑돌은 몇 개일까요?

    4 개

5명의 어린이 중 2명은 바나나를 좋아하고, 나머지는 포도를 좋아합니다. 포도를 좋아하는 어린이는 몇 명일까요?

    3 명

토끼 3마리와 다람쥐 2마리가 있습니다. 토끼와 다람쥐는 모두 몇 마리일까요?

    5 마리

22 소마셈 - K8

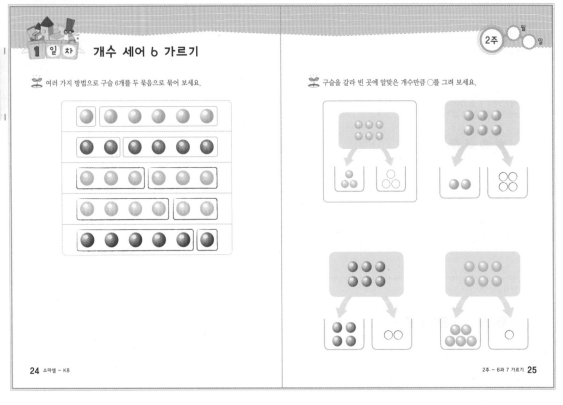

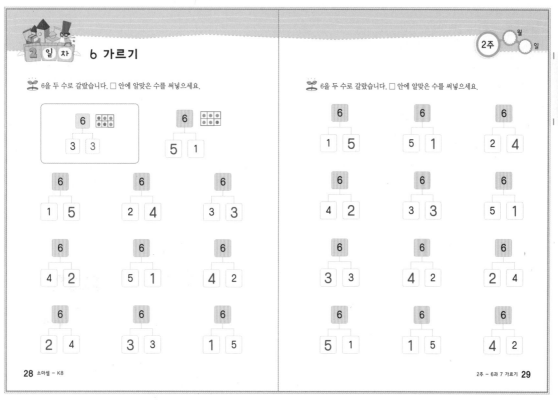

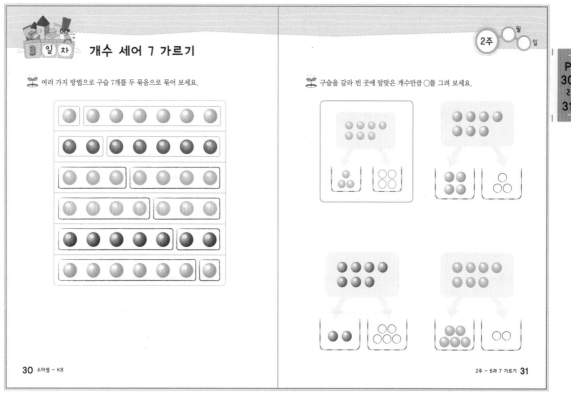

정답 **87**

정답

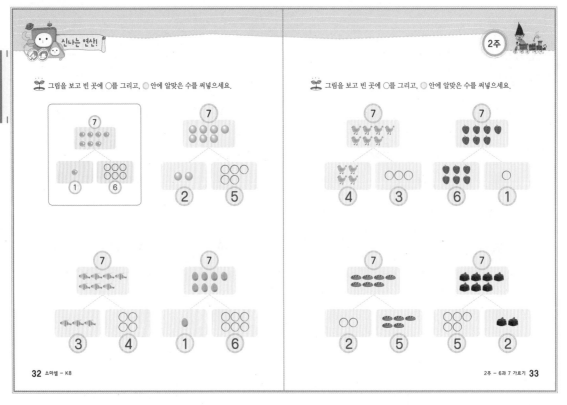

신나는 연산!

2주

그림을 보고 빈 곳에 ○를 그리고, ○ 안에 알맞은 수를 써넣으세요.

7
1 6

7
2 5

7
3 4

7
1 6

그림을 보고 빈 곳에 ○를 그리고, ○ 안에 알맞은 수를 써넣으세요.

7
4 3

7
6 1

7
2 5

7
5 2

32 소마셈 – K8

2주 – 6과 7 가르기 **33**

4일차   7 가르기

2주

7을 두 수로 갈랐습니다. □ 안에 알맞은 수를 써넣으세요.

7
6 1

7
2 5

7
3 4

7
1 6

7
4 3

7
6 1

7
2 5

7
4 3

7
2 5

7
6 1

7
5 2

7을 두 수로 갈랐습니다. □ 안에 알맞은 수를 써넣으세요.

7
2 5

7
6 1

7
1 6

7
3 4

7
4 3

7
5 2

7
1 6

7
5 2

7
3 4

7
2 5

7
6 1

7
4 3

34 소마셈 – K8

2주 – 6과 7 가르기 **35**

5 일 **차** 문장제

🌱 이야기를 읽고, 수지에게 남은 강아지는 몇 마리인지 구해 보세요.

수지 아버지께서 강아지 6마리를 데리고 왔습니다. 소식을 듣고 친구 정수가 부러워하며 구경을 왔습니다.
수지는 강아지 6마리를 모두 키우고 싶었지만 어머니께서 "강아지 6마리는 혼자 키우기 힘드니까 3마리는 정수가 데려가 키우면 어떨까?" 라고 말씀하셨습니다.
수지는 기쁜 마음으로 정수에게 강아지 3마리를 주었습니다.
수지에게 남은 강아지는 몇 마리일까요?

3 마리

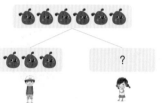

정수　　　　　수지

🌱 다음을 읽고, 물음에 답하세요.

전깃줄에 새 7마리가 있습니다. 조금 있다가 새 2마리가 날아갔습니다. 몇 마리가 남았을까요?

 **5** 마리

산에 가서 알밤 6개를 주웠습니다. 그중 2개는 벌레가 나와서 버렸습니다. 남아 있는 밤은 몇 개일까요?

 **4** 개

 신나는 연산!

🌱 다음을 읽고, 물음에 답하세요.

수정이와 민수가 귤 6개를 나누어 먹으려고 합니다. 수정이가 3개를 먹었다면 민수는 몇 개를 먹었을까요?

 **3** 개

어린이 7명이 소풍을 가기로 했습니다. 그런데 어린이 1명이 아파서 소풍을 가지 못했습니다. 소풍을 간 어린이는 몇 명일까요?

 **6** 명

형과 동생이 연필 7자루를 나누어 가집니다. 형이 5자루를 가지면 동생은 몇 자루를 가질까요?

 2 자루

🌱 다음을 읽고, 물음에 답하세요.

구슬 6개를 주머니 두 개에 나누어 담으려고 합니다. 한 주머니에 4개를 담았다면 다른 주머니에는 몇 개를 담았을까요?

 2 개

풍선 7개를 현주와 민주가 나누어 가집니다. 현주가 3개를 가지면 민주는 몇 개를 가지게 될까요?

 4 개

어린이 7명이 있습니다. 그중 2명은 모자를 쓰고 있고, 나머지는 모자를 쓰고 있지 않습니다. 모자를 쓰고 있지 않은 어린이는 몇 명일까요?

 5 명

정답 **89**

정답

P 40

2주

🌱 다음을 읽고, 물음에 답하세요.

양초에 촛불 6개가 켜져 있습니다. 갑자기 바람이 불어 촛불 2개가 꺼졌습니다. 촛불이 켜져 있는 양초는 몇 개일까요?

```
    6
  2   4
```
4 개

민주가 달걀 7개를 사가지고 왔습니다. 집에 와 보니 달걀 4개가 깨져 있었습니다. 깨지지 않은 달걀은 몇 개일까요?

```
    7
  4   3
```
3 개

초콜릿 7개를 형과 동생이 나누어 먹으려고 합니다. 동생이 6개를 먹으면 형은 몇 개를 먹을까요?

```
    7
  6   1
```
1 개

40 소마셈 - K8

P 42 ~ 43

1 일 차

개수 세어 6 모으기

3주

🌱 두 주머니의 구슬을 모아 6개가 되도록 빈 주머니에 ○를 그려 보세요.

🌱 두 주머니의 구슬을 모아 6개가 되도록 빈 주머니에 ○를 그려 보세요.

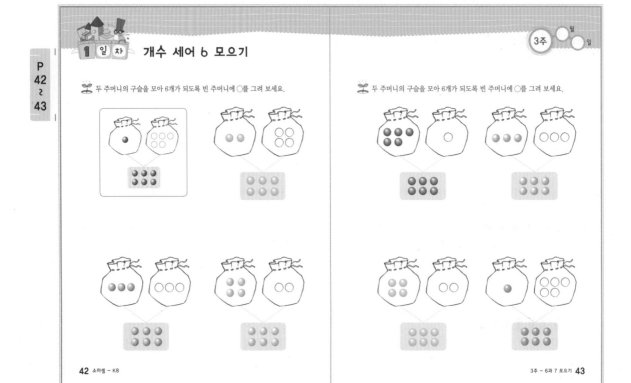

42 소마셈 - K8

3주 - 6과 7 모으기 43

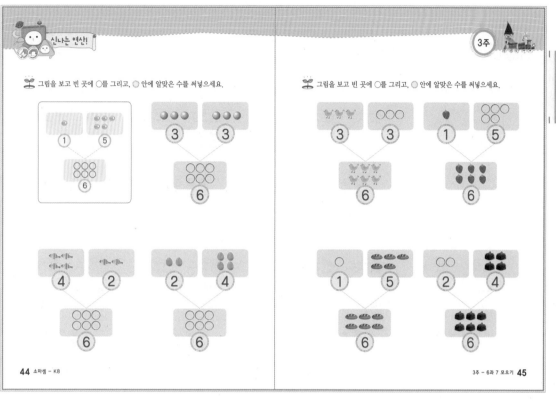

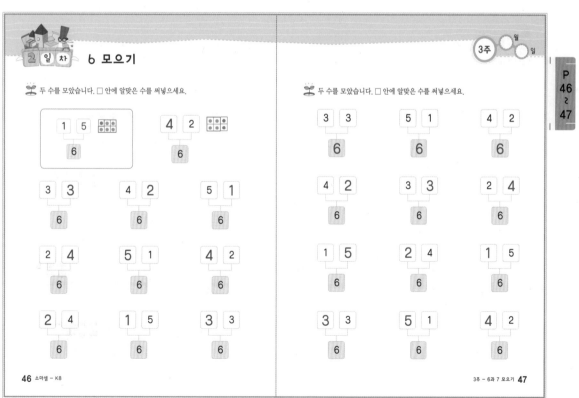

P
48
~
49

3 일 차 개수 세어 7 모으기

🌱 두 주머니의 구슬을 모아 7개가 되도록 빈 주머니에 ○를 그려 보세요.

🌱 두 주머니의 구슬을 모아 7개가 되도록 빈 주머니에 ○를 그려 보세요.

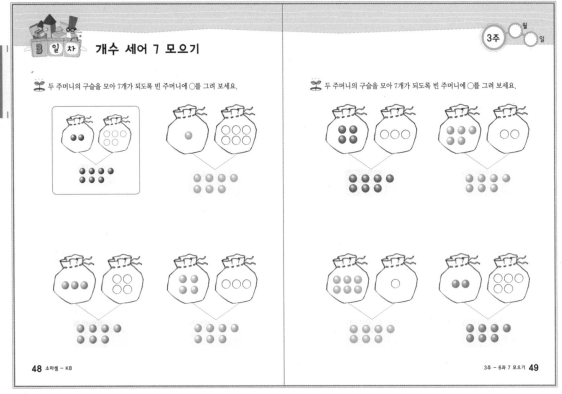

48 소마셈 – K8

3주 – 6과 7 모으기 49

P
50
~
51

신나는 연산!

3주

🌱 그림을 보고 빈 곳에 ○를 그리고, ○ 안에 알맞은 수를 써넣으세요.

🌱 그림을 보고 빈 곳에 ○를 그리고, ○ 안에 알맞은 수를 써넣으세요.

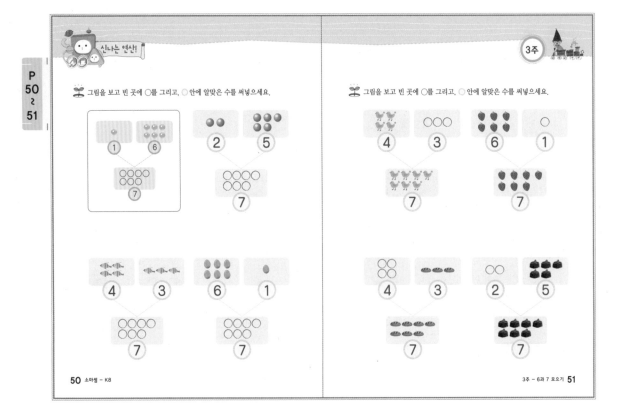

50 소마셈 – K8

3주 – 6과 7 모으기 51

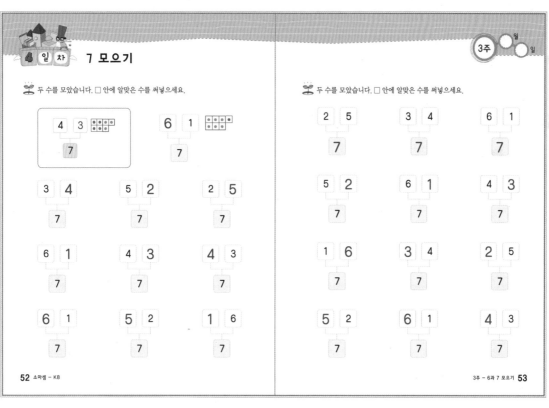

4 일 차 7 모으기

🌱 두 수를 모았습니다. □ 안에 알맞은 수를 써넣으세요.

| 4 | 3 | → 7 |
| 6 | 1 | → 7 |

3	4	→ 7
5	2	→ 7
2	5	→ 7

6	1	→ 7
4	3	→ 7
4	3	→ 7

6	1	→ 7
5	2	→ 7
1	6	→ 7

🌱 두 수를 모았습니다. □ 안에 알맞은 수를 써넣으세요.

2	5	→ 7
3	4	→ 7
6	1	→ 7

5	2	→ 7
6	1	→ 7
4	3	→ 7

1	6	→ 7
3	4	→ 7
2	5	→ 7

5	2	→ 7
6	1	→ 7
4	3	→ 7

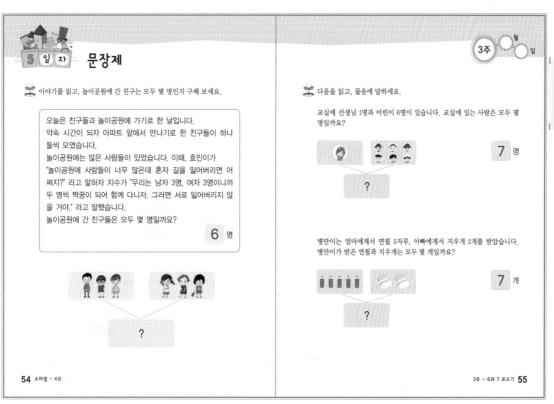

5 일 차 문장제

🌱 이야기를 읽고, 놀이공원에 간 친구는 모두 몇 명인지 구해 보세요.

오늘은 친구들과 놀이공원에 가기로 한 날입니다.
약속 시간이 되자 아파트 앞에서 만나기로 한 친구들이 하나 둘씩 모였습니다.
놀이공원에는 많은 사람들이 있었습니다. 이때, 효민이가 "놀이공원에 사람들이 너무 많은데 혼자 길을 잃어버리면 어쩌지?" 라고 말하지 지수가 "우리는 남자 3명, 여자 3명이니까 두 명씩 짝꿍이 되어 함께 다니자. 그러면 서로 잃어버리지 않을 거야." 라고 말했습니다.
놀이공원에 간 친구들은 모두 몇 명일까요?

6 명

🌱 다음을 읽고, 물음에 답하세요.

교실에 선생님 1명과 어린이 6명이 있습니다. 교실에 있는 사람은 모두 몇 명일까요?

7 명

병만이는 엄마에게서 연필 5자루, 아빠에게서 지우개 2개를 받았습니다. 병만이가 받은 연필과 지우개는 모두 몇 개일까요?

7 개

신나는 연산!

🌱 다음을 읽고, 물음에 답하세요.

바구니에 곰 인형 3개와 로봇 4개가 있습니다. 바구니에 들어 있는 장난감은 모두 몇 개일까요?

 7 개

동물원에 사자 4마리와 코끼리 2마리가 있습니다. 동물은 모두 몇 마리일까요?

6 마리

상자에 야구공 5개, 농구공 2개가 있습니다. 공은 모두 몇 개일까요?

7 개

56 소마셈 – K8

🌱 다음을 읽고, 물음에 답하세요.

수민이는 어제 동화책 5쪽을 읽고, 오늘 1쪽을 더 읽었습니다. 수민이는 동화책을 모두 몇 쪽 읽었을까요?

5	1
6	

6 쪽

파란색 구슬 3개와 빨간색 구슬 3개가 있습니다. 구슬은 모두 몇 개일까요?

3	3
6	

6 개

어제 닭이 달걀 4개를 낳았습니다. 오늘 3개를 더 낳았다면 달걀은 모두 몇 개일까요?

4	3
7	

7 개

3주 – 6과 7 모으기 **57**

🌱 다음을 읽고, 물음에 답하세요.

옷장에 치마 4개, 바지 2개가 있습니다. 옷장에 있는 옷은 모두 몇 개일까요?

4	2
6	

6 개

버스에 남자 6명과 여자 1명이 있습니다. 버스에 타고 있는 사람은 모두 몇 명일까요?

6	1
7	

7 명

꽃병에 장미 3송이와 튤립 3송이가 있습니다. 꽃병에 있는 꽃은 모두 몇 송이일까요?

3	3
6	

6 송이

58 소마셈 – K8

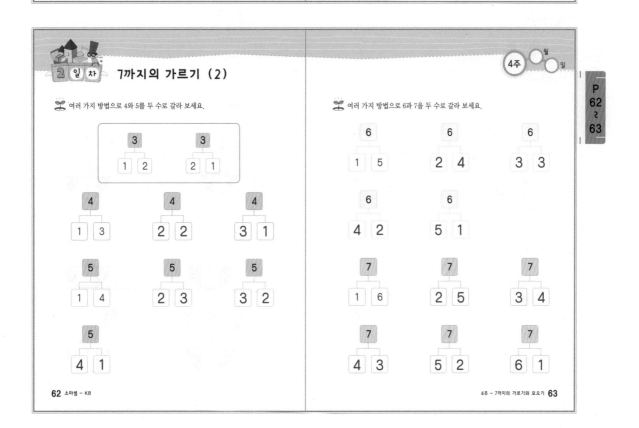

7까지의 모으기 (1)

🌱 두 수를 모았습니다. □ 안에 알맞은 수를 써넣으세요.

2	1		3	1		2	2
3			**4**			**4**	

3	2		4	1		2	3
5			**5**			**5**	

4	2		5	1		3	3
6			**6**			**6**	

1	6		5	2		4	3
7			**7**			**7**	

🌱 구슬 안의 수를 모아 상자의 수가 되도록 빈칸에 알맞은 수를 써넣으세요.

2 2 4 → 2 2 / 4

1 4 5

1 2 3

3 4 7

4 2 6

5 2 7

2 3 5

2 4 6

7까지의 모으기 (2)

🌷 모아서 □안의 수가 되는 두 수를 선으로 이어 보세요.

4

1 — 1
2 ✕ 3   1 / 3
3 — 2   4

5

1 — 4
3 ✕ 3
2 — 2

6

1 ✕ 4
2 ✕ 3
3 — 5

7

1 ✕ 5
3 ✕ 6
2 — 4

🌷 모아서 ⬤안의 수가 되는 두 수를 찾아 선으로 이어 보세요.

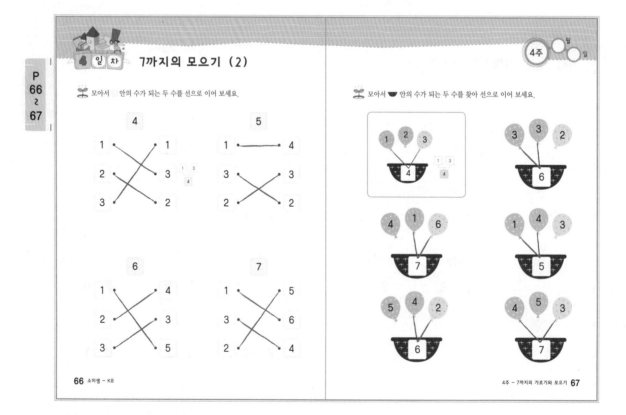

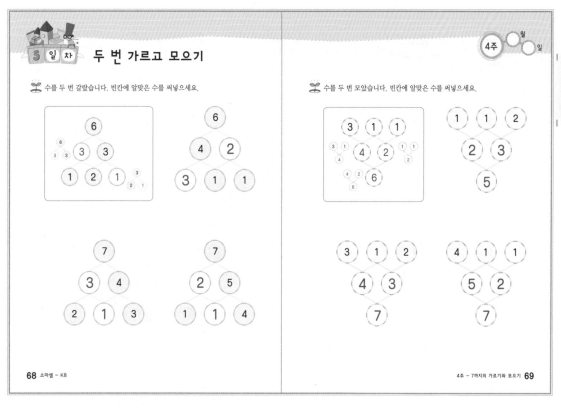

5 일차 두 번 가르고 모으기

🌱 수를 두 번 갈랐습니다. 빈칸에 알맞은 수를 써넣으세요.

🌱 수를 두 번 모았습니다. 빈칸에 알맞은 수를 써넣으세요.

🌱 수를 가르고 모았습니다. ☐ 안에 알맞은 수를 써넣으세요.

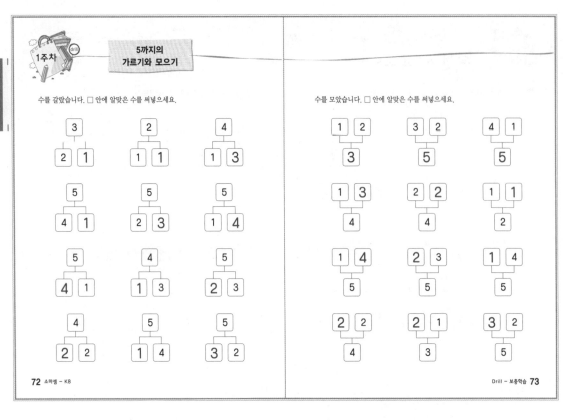

1주차 5까지의 가르기와 모으기

P 72 ~ 73

수를 갈랐습니다. □ 안에 알맞은 수를 써넣으세요.

3 → 2 1
2 → 1 1
4 → 1 3

5 → 4 1
5 → 2 3
5 → 1 4

5 → 4 1
4 → 1 3
5 → 2 3

4 → 2 2
5 → 1 4
5 → 3 2

수를 모았습니다. □ 안에 알맞은 수를 써넣으세요.

1 2 → 3
3 2 → 5
4 1 → 5

1 3 → 4
2 2 → 4
1 1 → 2

1 4 → 5
2 3 → 5
1 4 → 5

2 2 → 4
2 1 → 3
3 2 → 5

2주차 6과 7 가르기

P 74 ~ 75

수를 갈랐습니다. □ 안에 알맞은 수를 써넣으세요.

6 → 3 3
6 → 2 4
6 → 1 5

6 → 4 2
6 → 5 1
6 → 2 4

6 → 5 1
6 → 3 3
6 → 4 2

6 → 4 2
6 → 1 5
6 → 2 4

수를 갈랐습니다. □ 안에 알맞은 수를 써넣으세요.

7 → 1 6
7 → 6 1
7 → 2 5

7 → 4 3
7 → 3 4
7 → 5 2

7 → 3 4
7 → 2 5
7 → 1 6

7 → 6 1
7 → 5 2
7 → 4 3

P 76 ~ 77

 3주차 6과 7 모으기

두 수를 모았습니다. □ 안에 알맞은 수를 써넣으세요.

76 소마셈 - K8

두 수를 모았습니다. □ 안에 알맞은 수를 써넣으세요.

Drill - 보충학습 77

P 78 ~ 79

 4주차 7까지의 가르기와 모으기

수를 두 번 갈랐습니다. ○ 안에 알맞은 수를 써넣으세요.

78 소마셈 - K8

수를 두 번 모았습니다. ○ 안에 알맞은 수를 써넣으세요.

Drill - 보충학습 79

정답 **99**

Note

Note